九訂版

# 廃棄物処理法 Q&A

英保 次郎／著

東京法令出版

## はじめに

　最近の廃棄物の処理は、不適正処理問題ばかりでなく、2060年には海洋マイクロプラスチックが魚の数を上回ると予想され、廃プラスチックの抜本的な対策が求められるなど、様々な問題に直面しており、このままでは生活環境や産業活動に重大な支障を生じかねない深刻な状況を呈しております。

　排ガス等、比較的単一な形態で環境に影響を与えるのに対して規制される他の公害と異なり、廃棄物の処理は、「発生、収集・運搬、処理・処分」と複雑多岐にわたる形態を経て、また、環境に対して各々の過程で異なった影響を与える可能性を有しています。このため、廃棄物の適正処理を目的とした廃棄物処理法も必然的に複雑となり、法に基づいた処理を行わなければならないにもかかわらず、何とも分かりにくい法律となっております。

　本書は、環境省がこれまでに発行した疑義解釈通知を中心に整理していますが、地方分権の流れから、国は法解釈の運用通知をしないこととし、平成12年12月28日付けで、これまでの通知の大部分を廃止しました。しかしながら、地方分権一括法による改正後の地方自治法第245条の4（技術的な助言及び勧告並びに資料の提出の要求）の規定に基づき技術的な助言がなされており、既に廃止された内容においても、これまでの解釈を適正な処理に関する情報の提供として位置づけておくことが望ましいものであり、新たな技術的情報が提供されるまでの間は、行政の継続性の観点から継承されるべきものと考えます。

　詳しくは廃棄物行政機関に問い合わせることが望ましいと思います。

　また、令和3年度までの疑義解釈及び通知を取り入れ、法、政令、省令改正にあわせた最新の内容をできる限り追加しています。

　都道府県や市町村の担当者、廃棄物処理業者、排出企業、技術管理者はもちろんのこと、ISO関係で廃棄物の適正処理が求められている人々など幅広い分野の方々にご活用いただき、適正な廃棄物の処理に資することを切に希望するものであります。

　　　令和4年7月

　　　　　　　　　　　　　　　　　　　　　　　　　英　保　次　郎

# 目　次

## 第1章　廃棄物の定義・廃棄物の範囲

### I　有価物

質問1　(1)　有価物と廃棄物を区分できないものは総体有価 ……………… 23
　　　　(2)　貴金属廃液の売却輸出
　　　　(3)　産業廃棄物を加工した有価物輸出製品見本
質問2　放置された固形燃料の材料 ……………………………………………… 24
質問3　ごみ屋敷に放置されたごみ袋等 ……………………………………… 26
質問4　バイオマス発電燃料の焼却灰 ………………………………………… 27
質問5　改良した建設汚泥の処分 ……………………………………………… 28
質問6　建設汚泥処理物の廃棄物該当判断 …………………………………… 30
質問7　建設汚泥処理物等の有価物該当性 …………………………………… 34
質問8　中古自動車の輸出 ……………………………………………………… 36

### II　廃棄物に該当しないもの

質問9　墓の廃棄 ………………………………………………………………… 37
質問10　(1)　放射性医薬品の廃棄 ……………………………………………… 38
　　　　(2)　不要物の引き取り燃焼熱利用
　　　　(3)　他人に有償売却できない物による土地造成

### III　廃棄物としての認識

質問11　地下工作物の埋め殺す場合の法適用時点 …………………………… 40
質問12　高圧ガス容器の廃棄 …………………………………………………… 40
質問13　再生利用の産業廃棄物の有償による引渡し ………………………… 42

### IV　一般廃棄物と産業廃棄物

#### IV-1　事業活動からの排出

質問14　(1)　事業活動によって排出される燃え殻等 ………………………… 43

　　　　　(2)　病院からの廃注射器等の廃棄物
質問15　店頭回収された廃ペットボトル等の廃棄物処理法の取扱い………… *44*

## Ⅳ－2　木くず
質問16　(1)　輸入木材の卸売業に係る木くず…………………………………… *47*
　　　　　(2)　ダムの流木
　　　　　(3)　工作物の除去に伴い不要となった廃木材
　　　　　(4)　個人の解体した木くず
　　　　　(5)　リース物品の木くず
　　　　　(6)　貨物流通のパレット

## Ⅳ－3　動植物性残さ
質問17　(1)　食料品製造業から排出される製品くず………………………… *49*
　　　　　(2)　通関手続きによる生鮮食料品の破棄

## Ⅳ－4　汚泥
質問18　(1)　レストラン等の汚水から出てきた沈殿物………………………… *50*
　　　　　(2)　事業系ビル排水とし尿の合併処理汚泥
　　　　　(3)　食料品製造過程の沈殿物
　　　　　(4)　下水管渠、道路側溝清掃泥状物
質問19　発電所取放水路清掃による沈殿物……………………………………… *51*

## Ⅳ－5　がれき類
質問20　鉄道敷から除去した砂利…………………………………………………… *51*

## Ⅳ－6　燃え殻（焼却灰）
質問21　(1)　野犬の死体焼却残灰…………………………………………………… *52*
　　　　　(2)　発電を伴う市の一般廃棄物焼却場から排出された灰

## Ⅳ－7　動物のふん尿
質問22　(1)　畜産類似業からの動物のふん尿……………………………………… *52*
　　　　　(2)　副業農家の家畜のふん尿
　　　　　(3)　と畜場から排出される廃棄物

# Ⅴ　産業廃棄物の種類

## Ⅴ－1　燃え殻・ばいじん
質問23　(1)　事業活動に伴う廃活性炭……………………………………………… *56*

　　　　　　(2) 石炭火力発電所の石炭灰
V-2　汚泥
質問24　(1) 油分を含む泥状物……………………………………………57
　　　　　　(2) コンクリートミキサー車の生コン残さの泥状物
　　　　　　(3) 排煙脱硫石こう、石こうボード製品工場の石こうボードくず
　　　　　　(4) 湿式集じん施設から排出される沈殿物
　　　　　　(5) 家畜のふん尿処理施設からの泥状物
　　　　　　(6) みがき板ガラス製造工程・鋳物製造工程からの泥状物の自然
　　　　　　　　乾燥物
　　　　　　(7) 建設系無注薬汚泥
V-3　廃プラスチック類
質問25　(1) 液状廃塗料・泥状廃塗料・固型状塗料……………………59
　　　　　　(2) 使用済みのイオン交換樹脂
　　　　　　(3) 合成ゴムの自動車廃タイヤ
　　　　　　(4) 廃接着剤
V-4　廃油
質問26　有機薬品製造工程蒸留残さ……………………………………61
V-5　廃酸又は廃アルカリ
質問27　(1) 病院の廃ホルマリン…………………………………………61
　　　　　　(2) 泡沫消化剤かす
　　　　　　(3) 解体動物の血液
質問28　廃自動車からの不凍液…………………………………………62
V-6　ガラスくず・コンクリートくず（がれき類以外）・陶磁器くず
質問29　(1) ガラスの荒削工程の粉末状のもの及び排水処理施設の泥
　　　　　　　　状物……………………………………………………………62
　　　　　　(2) コンクリート二次製品製造業から排出される不良品
　　　　　　(3) 砥石かす
　　　　　　(4) 生コンクリート汚泥の脱水・固化
V-7　金属くず・鉱さい
質問30　(1) 金属の研磨工程から排出される研磨かす…………………63
　　　　　　(2) 銑鉄鋳物製造業から排出される鋳物又は砂

## Ⅴ-8 がれき類・13号廃棄物

質問31 (1) 炉の補修工事のレンガくず……………………………………64
　　　　(2) コンクリート固型化物
　　　　(3) 粒度調整後の建設廃材の処分
質問32 (1) 強度試験の供試体……………………………………………65
　　　　(2) 不要製品、破損製品
　　　　(3) 現場製造の消波ブロック

## Ⅴ-9 その他混合物

質問33 (1) 地盤改良工事からの地盤改良剤かす……………………66
　　　　(2) 廃被覆電線・廃トランス

## Ⅵ 特別管理廃棄物

### Ⅵ-1 特別管理一般廃棄物

質問34 塩化水素除去施設からの塩類………………………………………68

### Ⅵ-2 特別管理産業廃棄物

質問35 (1) 揮発油、灯油、軽油…………………………………………70
　　　　(2) 焼玉及びディーゼル機関燃料の重油
　　　　(3) 揮発廃油5％含む汚泥
　　　　(4) ポリ塩化ビフェニル絶縁油
　　　　(5) 非飛散性石綿スレート
質問36 クリーニング汚泥……………………………………………………71
質問37 感染性廃棄物…………………………………………………………71
質問38 特別管理産業廃棄物（廃油）と消防法の規制……………………72

# 第2章　排出事業者

## Ⅰ 排出事業者の決定

質問39 建設工事の元請け責任………………………………………………73
質問40 建設工事の元請け責任の例外…………………………………………74

質問41　廃止された最終処分場の掘削物の排出者……………………………74
質問42　建設工事現場から排出する掘削物の排出者…………………………75
質問43　業種の判断……………………………………………………………76
質問44　建物解体時における残置物の取扱い………………………………76
質問45　電気事業者の直接維持管理…………………………………………77

## Ⅱ　管理責任

質問46　産廃の保管用地の売買に伴う保管・管理責任………………………78

## Ⅲ　特別管理産業廃棄物管理責任者

質問47　事業場外に排出しない特別管理産業廃棄物発生事業者の管理
　　　　責任者設置等……………………………………………………………79
質問48　石綿建材除去事業における管理責任者の設置場所…………………79
質問49　特別管理産業廃棄物管理責任者の役割………………………………80

## Ⅳ　その他

質問50　市町村へ産業廃棄物処理を委託………………………………………80
質問51　清算法人は事業者か……………………………………………………80

# 第3章　一般廃棄物の処理

## Ⅰ　一般廃棄物処理計画等

質問52　(1)　一般廃棄物処理計画における自家処理量……………………83
　　　　(2)　一般廃棄物の処分に係る関係市町村
　　　　(3)　関係市町村の処理計画との調和
　　　　(4)　一般廃棄物処理計画における環境審議会の意見
質問53　廃棄物減量等推進審議会………………………………………………84

## Ⅱ 市町村の処理等

### Ⅱ-1 一般廃棄物の委託

質問54 (1) 市町村の再生事業協同組合に対する一般廃棄物の再生委託……………………………………………………………86
　　　 (2) 一般廃棄物委託業者に対する法改正後の欠格要件の適用

### Ⅱ-2 区域外の処分委託

質問55 (1) 区域外処分に係る関係市町村への通知方法……………87
　　　 (2) 区域外処分に係る関係市町村からの意見
　　　 (3) 有価物として売却する場合の区域外関係市町村への通知
　　　 (4) 区域外埋立処分に係る関係市町村への通知
　　　 (5) 一般廃棄物の最終処分場を有する者の関係市町村からの処分受託

### Ⅱ-3 特別管理一般廃棄物の委託

質問56 特別管理一般廃棄物について十分な知識を有する者……………88

### Ⅱ-4 一般廃棄物の収集手数料と市町村の行うあわせ産業廃棄物の受入れ費用

質問57 (1) 許可業者のみが行う一般廃棄物処理手数料の条例化…………89
　　　 (2) 一般廃棄物の収集手数料と証紙
　　　 (3) 公共団体が行う廃棄物処理費用の徴収

## Ⅲ 事業者の協力（適正処理困難物）

質問58 市町村による適正処理困難物の条例指定……………………91

# 第4章　処理基準

## Ⅰ 総則

質問59 (1) 産業廃棄物処理基準の条例による上乗せ……………………92
　　　 (2) 処理施設からのばい煙等の排出基準
　　　 (3) 悪臭に関する処分基準違反の判断基準

## Ⅱ 一般廃棄物

質問60 (1) 建設工事の下請業者による一般廃棄物処理に係る法適用……93
　　　 (2) 自家処理における一般廃棄物処理基準法適用

## Ⅲ 産業廃棄物

質問61 無害な有機性汚泥のコンクリート固型後の水面埋立処分………94
質問62 (1) 汚泥等を肥料として施用する場合の処理基準……………94
　　　 (2) 緊急避難
質問63 地盤かさ上げと処理基準の適用…………………………………95
質問64 収集運搬と海洋投入処分の範囲…………………………………96
質問65 屋外燃焼……………………………………………………………96
質問66 (1) 産業廃棄物の保管行為に係る事務処理…………………97
　　　 (2) 保管における地下浸透防止措置
　　　 (3) 保管の期間
質問67 野積みタイヤの適正処理…………………………………………98
質問68 積替え・保管場所の囲いと消防法の規定……………………99
質問69 有価物の保管……………………………………………………100
質問70 石綿を含有する成形板の取扱いについて……………………100

## Ⅳ 埋立処分・海洋投入処分

質問71 (1) 処分の定義………………………………………………101
　　　 (2) 最終処分の方法
質問72 公共の水域………………………………………………………102
質問73 浸出液汚染防止措置……………………………………………102
質問74 エイジングした鉱さいの最終処分方法………………………103
質問75 公共の水域汚染を防止するための必要措置…………………104
質問76 安定型産業廃棄物以外の廃棄物混入防止と建廃の分別指導…105
質問77 地中にある空間利用の具体例…………………………………106
質問78 油分の測定方法…………………………………………………106

## V 特別管理一般廃棄物

質問79 (1) 1台の車での仕切による分別区分……………………………108
　　　 (2) 特別管理一般廃棄物のパイプラインによる運搬

## VI 特別管理産業廃棄物

質問80 金属等を含む産業廃棄物の検定時期………………………………109
質問81 特別管理産業廃棄物の取扱いに際しての具体的注意事項…………109
質問82 令第6条の5第1項第3号ラの特別管理産業廃棄物以外のものに適用除外の趣旨……………………………………………………109
質問83 トリクロロエチレン・テトラクロロエチレンの洗浄・蒸留施設が令別表に追加されない理由………………………………………110

# 第5章　廃棄物処理施設

## I 総則

質問84 処理実験を行う場合の施設設置許可………………………………111
質問85 処理施設構造変更の際の処理能力………………………………111
質問86 (1) 使用前検査の方法……………………………………………112
　　　 (2) 使用前検査の通知方法
　　　 (3) 使用前検査による許可取り消し・改善命令
　　　 (4) 使用前検査に係る費用
質問87 処理施設設置者の住所変更に係る変更許可……………………113

## II 他法との関係

質問88 地方公共団体設置の処理施設と地方自治法の公の施設…………114
質問89 (1) 他法令の許可が困難な場合の許可申請受理拒否………………114
　　　 (2) 建築基準法の手続き前の許可
質問90 日本下水道事業団の下水汚泥処理施設の設置許可………………115

## Ⅲ 一般廃棄物処理施設

質問91 再生利用の目的となる一般廃棄物の再生施設の設置許可············ *116*
質問92 港湾法に基づく埋立護岸内に設置する処理施設の届出············ *117*
質問93 一般廃棄物処理施設で産業廃棄物の混焼する場合の取扱い········ *117*
質問94 一般廃棄物の溶融固化物······································ *118*

## Ⅳ 産業廃棄物処理施設

### Ⅳ-1 中間処理施設

質問95 2種類以上の産業廃棄物を焼却する施設の処理能力················ *121*
質問96 産業廃棄物処理施設の1日あたりの処理能力······················ *121*
質問97 一体として機能している複数の中間処理施設の取扱い············ *122*
質問98 廃プラスチック類の溶融・成型処理施設························ *122*
質問99 天日乾燥施設の処理能力······································ *123*
質問100 工事現場で数ヶ月使用する処理施設の許可······················ *124*
質問101 (1) 汚泥を脱水乾燥し、肥料として売却する場合の施設の取
　　　　　　扱い····················································· *124*
　　　　(2) 施設を廃棄物処理に転用する場合の取扱い
質問102 生産工程の一部としての汚泥脱水施設の取扱い·················· *125*
質問103 一定の生産工程·············································· *126*
質問104 油分を5％以上含んだ汚泥を焼却する施設の処理能力············ *127*
質問105 (1) 薬剤による脱水・乾燥施設································ *127*
　　　　(2) 車両による破砕施設
質問106 汚泥・水・セメントをミキサーで混練する施設の取扱い·········· *128*
質問107 金属等を含むことの程度······································ *129*
質問108 合計した処理能力············································ *129*
質問109 一つの施設で複数の産業廃棄物の取扱い························ *130*
質問110 廃棄物焼却施設に係る技術上の基準···························· *130*

### Ⅳ-2 最終処分場

質問111 最終処分場基準省令の構造耐力の確認方法······················ *131*
質問112 法改正に伴う既設の処理施設の取扱い·························· *131*

質問113　法改正前の規模要件に満たない処分場の拡大……………………*132*
質問114　(1)　埋立地の増設に伴う施設の届出……………………………*133*
　　　　　(2)　一体として機能する埋立地
質問115　同一設置者による同一地域の複数の最終処分場………………*134*
質問116　借地・雇用して埋立処分を行う者と設置者の区分……………*134*
質問117　廃止した処分場の囲い………………………………………………*135*
質問118　一般廃棄物処分場に管理型産業廃棄物の投入…………………*135*
質問119　山砂利洗浄汚水の沈殿分離用素掘り穴の跡の取扱い…………*136*
質問120　(1)　管理型最終処分場の設置の許可条件としての水質汚濁防
　　　　　　　止法の上乗せ基準……………………………………………*136*
　　　　　(2)　条例の排水基準が省令より厳しい場合
質問121　廃止区画の再埋立処分………………………………………………*137*
質問122　余剰の農作物を畑に鋤込む場合の最終処分……………………*138*
質問123　最終処分場残余容量の算定…………………………………………*138*

## V　技術管理者

質問124　技術管理者の兼任……………………………………………………*139*
質問125　(1)　技術管理者を確保していない処理施設の受理……………*140*
　　　　　(2)　技術管理者を確保していない処理施設に対する使用停止
　　　　　　　命令
質問126　廃止していない最終処分場…………………………………………*141*
質問127　専修学校を短期大学並に扱う技術管理者の資格判断…………*141*
質問128　技術管理者の行政経験………………………………………………*141*

## VI　その他

質問129　許可書記載内容の変更………………………………………………*141*
質問130　受け入れる際の産業廃棄物の性状分析と計量…………………*142*
質問131　有価物プラスチックの焼却炉で廃プラスチック類を焼却……*142*
質問132　周辺地域への配慮……………………………………………………*142*
質問133　周辺施設………………………………………………………………*143*
質問134　利害関係者、関係市町村……………………………………………*143*

質問135　最終処分場周縁地下水の確認……………………………………… *144*

# 第6章　廃棄物処理業

## I　総則

質問136　(1)　下取り行為…………………………………………………… *145*
　　　　　(2)　廃棄物の分別、圧縮に係る業の許可
質問137　収集運搬を伴わない保管・積替え…………………………………… *146*
質問138　再生利用指定業者の指定登録手数料………………………………… *146*
質問139　米軍基地からの搬出と業許可………………………………………… *147*
質問140　清掃業者による清掃後の廃棄物処理………………………………… *147*
質問141　規制権限の及ばない第三者によるあっせん………………………… *148*

## II　一般廃棄物処理業

### II－1　許可の必要性

質問142　(1)　動物霊園事業としての愛がん動物死体処理……………… *149*
　　　　　(2)　空港内発生一般廃棄物の空港外委託処理と許可
質問143　(1)　家庭排水沈殿汚泥の処理………………………………… *150*
　　　　　(2)　医療機関から排出する人の手足・内臓の処理
質問144　一般廃棄物委託業者による他市処理計画区域内処理……………… *151*
質問145　(1)　豚肉と残飯の交換による養豚業者の飼料化と許可………… *151*
　　　　　(2)　県委託業者の道路・道路側溝清掃、収集・運搬
質問146　一般廃棄物処理業許可要件適合者に対する不許可………………… *152*
質問147　更新許可に当たっての誓約書等の添付……………………………… *153*

### II－2　許可の条件

質問148　一般廃棄物処理業許可への条件付与………………………………… *154*

### II－3　特別管理一般廃棄物の処理

質問149　一般廃棄物処理基準による特別管理一般廃棄物の処理…………… *154*

### II－4　許可の更新時期

質問150　一般廃棄物処理業者更新時期の短縮………………………………… *155*

## Ⅱ-5　役員、政令で定める使用人

質問151　(1)　欠格要件の役員の範囲······················155
　　　　　(2)　政令で定める使用人であることの確認方法
　　　　　(3)　政令で定める使用人の範囲

# Ⅲ　産業廃棄物処理業

## Ⅲ-1　許可を要する者の範囲

質問152　(1)　地方公共団体と業許可······················157
　　　　　(2)　廃棄物処理センターの処理事業と業許可
　　　　　(3)　へい獣処理場における廃棄物の受入れ
質問153　(1)　親会社の処理と自己処理······················158
　　　　　(2)　子会社の処理
質問154　組織変更······················159
質問155　構内での運搬と業許可······················160
質問156　自ら処理する事業者と直接従事者との関係······················160
質問157　複数の事業場を有する事業者の処理と自己処理······················161
質問158　農協による保管と業許可······················162
質問159　有価物取扱業者（購入被覆電線の処理を行い銅線を売却）······················162
質問160　下水管渠の汚泥の運搬と業許可······················163
質問161　専ら再生利用物の処分と業許可······················163
質問162　(1)　産業廃棄物の輸出と業許可······················164
　　　　　(2)　海上輸送の許可
質問163　施設の管理形態と業許可······················165
質問164　試験研究······················165
質問165　(1)　協同組合と業許可······················166
　　　　　(2)　法人格のない団体と業許可
質問166　(1)　協同組合の施設での業許可······················166
　　　　　(2)　賃貸車両での業許可
質問167　(1)　有価物取扱業者と業許可······················167
　　　　　(2)　再生利用目的のガラス繊維くずは専ら物
質問168　(1)　市況変動（有価物の市況低下）······················168

　　　　　(2)　市況変動（再生利用業者）
質問169　産業廃棄物の混合……………………………………………………… *169*
質問170　廃自動車・中古パソコン等の解体業者…………………………… *169*
質問171　保管の期間判断………………………………………………………… *170*
質問172　(1)　積替え・保管……………………………………………………… *171*
　　　　　(2)　積替施設
質問173　積替作業………………………………………………………………… *172*
質問174　コンテナ輸送の積替え・保管……………………………………… *172*
質問175　自動車等破砕物の保管……………………………………………… *173*
質問176　通常の産業廃棄物と特別管理産業廃棄物を扱う業者…………… *175*
質問177　特別管理産業廃棄物の再生利用業……………………………… *176*
質問178　許可指令書……………………………………………………………… *176*

## Ⅲ-2　変更許可

質問179　(1)　処理方式の変更………………………………………………… *177*
　　　　　(2)　最終処分場の増設
質問180　条件の変更……………………………………………………………… *177*
質問181　新規の許可の必要性………………………………………………… *178*
質問182　主要な施設の変更…………………………………………………… *179*
質問183　産業廃棄物の保管行為の追加に係る事務処理………………… *179*
質問184　(1)　許可更新時の変更許可………………………………………… *180*
　　　　　(2)　変更許可があった場合の起算日
質問185　(1)　更新時の申請書………………………………………………… *181*
　　　　　(2)　更新・変更状況の記載事項
質問186　(1)　更新期間の短縮………………………………………………… *181*
　　　　　(2)　他法令の許可期限
質問187　更新手続きが行われない場合……………………………………… *182*
質問188　期間到来前の更新…………………………………………………… *182*
質問189　更新の許可証…………………………………………………………… *182*

## Ⅲ-3　許可手続き

質問190　使用権原を有さない施設…………………………………………… *183*
質問191　借地での処分業の確認……………………………………………… *184*

質問192　経理的基礎の判断基準……………………………………………184
質問193　経理的基礎としての有価証券報告書……………………………186
質問194　欠格要件の役員の範囲……………………………………………187
質問195　その業務を行う役員………………………………………………188
質問196　暴力団員の事業活動支配…………………………………………189
質問197　収集運搬業者の車両の変更………………………………………190
質問198　感染性廃棄物の保冷車その他の運搬施設………………………190
質問199　採水ができる設備…………………………………………………190
質問200　「分析することができる設備」…………………………………191
質問201　「分析を行う者」の資格…………………………………………191
質問202　特別管理産業廃棄物処分業許可基準分析設備・分析者と申請
　　　　　者の関係……………………………………………………………192
質問203　特別管理産業廃棄物処分業許可基準分析設備と付帯設備の相
　　　　　違等…………………………………………………………………192
質問204　ポリ塩化ビフェニルの運搬………………………………………193
質問205　廃棄物収集運搬業許可の合理化に係る許可……………………194
質問206　親子会社による一体処理…………………………………………195

## Ⅲ-4　許可申請添付書類

質問207　添付書類の提出拒否………………………………………………197
質問208　添付書類の省略……………………………………………………198
質問209　手数料欄の記載事項………………………………………………198
質問210　(1)　事業の用に供する施設………………………………………198
　　　　　(2)　施設の平面図
質問211　事業の開始に要する資金…………………………………………199

## Ⅲ-5　許可条件

質問212　(1)　処理施設の限定………………………………………………199
　　　　　(2)　業の廃止の条件
質問213　取り消し要件………………………………………………………200
質問214　住民同意……………………………………………………………200
質問215　生活保全上必要な条件……………………………………………201

## Ⅲ-6　欠格要件
質問216　執行猶予の期間を経過した場合の欠格要件············*201*
質問217　刑事罰処罰者············*202*
質問218　刑事罰処罰者等でなくなる日············*202*
質問219　おそれ条項············*203*

## Ⅲ-7　不許可処分
質問220　感染性廃棄物の焼却············*205*
質問221　(1)　訴訟中の施設············*205*
　　　　(2)　使用権原のない他人の所有施設
質問222　他法令に抵触するおそれ············*206*

## Ⅲ-8　業の廃止
質問223　最終処分場閉鎖による業廃止届············*206*
質問224　既埋立物の場外搬出処分············*207*

## Ⅲ-9　法違反
質問225　雇用関係のない者に収集運搬再委託············*207*
質問226　1日の運搬契約で運搬再委託············*208*
質問227　無許可業者への委託行為未着手の場合············*209*
質問228　無許可業者への委託············*209*

## Ⅲ-10　行政処分
質問229　許可後の許可基準に適合しない状態············*210*
質問230　能力基準不適合············*211*
質問231　排出事業者としての違法行為············*211*
質問232　施設が使用不可能な状態············*212*
質問233　他県での一般廃棄物の不法投棄············*212*
質問234　無限連鎖の許可取消············*213*

## Ⅲ-11　帳簿記載義務
質問235　伝票による保存············*214*

## Ⅲ-12　委託基準
質問236　委託のあっせん············*214*
質問237　処理委託関係と処理基準違反············*215*
質問238　処理委託関係と処理基準違反············*216*

| 質問239 | 処理委託関係と処理基準違反 | 217 |
| --- | --- | --- |
| 質問240 | 処理委託関係と処理基準違反 | 217 |
| 質問241 | 中間処理後の廃棄物の委託 | 218 |
| 質問242 | 中間処理後の処理委託と処理基準違反 | 219 |
| 質問243 | 区間を限った委託 | 221 |
| 質問244 | 事業者団体等への委託契約権限の委任 | 222 |
| 質問245 | 一つの契約書による複数の事業者との契約 | 223 |
| 質問246 | 事務として処理を行う自治体への委託 | 223 |
| 質問247 | 処理委託費用 | 223 |
| 質問248 | 処理委託の費用 | 224 |
| 質問249 | 処理委託の費用 | 225 |
| 質問250 | 処理委託の費用 | 226 |
| 質問251 | 廃油の回収取引 | 226 |
| 質問252 | (1) 三者契約 | 227 |
|  | (2) 運搬、処分者同一の契約書 |  |
| 質問253 | 区間を区切った委託の最終目的地 | 228 |
| 質問254 | 感染性産業廃棄物の種類の記入 | 228 |
| 質問255 | 委託する特別管理産業廃棄物の性状等の文書記載事項 | 228 |
| 質問256 | 処分業者の再委託 | 229 |
| 質問257 | 受託契約とマニフェストの相違 | 229 |
| 質問258 | マニフェスト使用時の契約書記載の省略 | 229 |
| 質問259 | 複数の運搬車とマニフェスト | 230 |
| 質問260 | 農業協同組合による集荷場所提供 | 230 |
| 質問261 | 一体不可分の廃棄物とマニフェスト | 231 |
| 質問262 | 特別管理産業廃棄物多量排出事業者の電子マニフェスト使用義務 | 231 |
| 質問263 | 専ら物の処理委託 | 233 |
| 質問264 | 再々委託 | 233 |

### Ⅲ-13 その他

| 質問265 | 運搬車の表示 | 234 |
| --- | --- | --- |

## 第7章　その他

### I　措置命令、改善命令

質問266　保管施設から廃油の流出に対する措置命令 ······················· *237*
質問267　中継と称し積み上げた汚泥の流出に対する措置命令 ··············· *239*
質問268　不法投棄を黙認している地主に対する措置命令 ··················· *239*
質問269　措置命令と改善命令 ········································· *239*
質問270　重大支障を生じない不法投棄 ································· *240*
質問271　措置命令 ··················································· *241*

### II　不法投棄

質問272　地主の了解を得て産業廃棄物を捨てる行為 ······················· *242*
質問273　他人の浄化槽にし尿を投入する行為 ····························· *242*
質問274　有償で得た被覆電線を野焼きした後の焼却残さ放置行為 ··········· *243*
質問275　魚を原料とする飼料製造業の油分を含む泥状物の不法投棄 ········· *243*
質問276　産業廃棄物の保管と称し、他人の土地に無断で放置する行為 ······· *243*
質問277　廃酸を処理せず故意に流出 ··································· *244*
質問278　廃油と土砂混合埋立 ········································· *245*
質問279　廃油付着のドラム缶の埋立 ··································· *245*
質問280　使用済みパチンコ台の長期間放置 ····························· *246*

### III　焼却の禁止

質問281　廃棄物焼却の禁止の例外 ····································· *248*

### IV　廃棄物再生事業者

質問282　廃棄物再生業と一般廃棄物処理業 ····························· *250*

### V　立入検査・報告徴収

質問283　市町村設置の産業廃棄物処理施設に処理委託する事業者への
　　　　立入検査 ····················································· *250*

質問284　地方公共団体による定期的な報告徴収……………………………251

# VI　法適用

質問285　日本国船舶による公海上処理に対する法適用………………252
質問286　水質汚濁防止法規制対象以下の排出水に対する規制…………252
質問287　海域における小規模船舶からのビルジ排出規制………………253
質問288　海洋発生物の陸上処理……………………………………………253

# 第1章　廃棄物の定義・廃棄物の範囲

――― 法令上の規定 ―――
法第2条（定義）
　この法律において「廃棄物」とは、ごみ、粗大ごみ、燃え殻、汚泥、ふん尿、廃油、廃酸、廃アルカリ、動物の死体その他の汚物又は不要物であって、固形状又は液状のもの（放射性物質及びこれによって汚染された物を除く。）をいう。

## I　有価物

**質問1**　次に掲げるものは、廃棄物に該当するか。
(1)　有償で売買されている10％の銅を含むレンガくず
(2)　外国に有償で輸出する貴金属を含む廃液
(3)　国内で有価物として取引されている産業廃棄物を加工した物を有価物として輸出しようとする者が、輸出契約を成立させるために輸出する見本

**回答**
(1)　この場合のレンガくずは総体として有価物であり、廃棄物には該当しない。
(2)　貴金属を含む廃液が有償売却されることが確認されれば廃棄物には該当しない。
(3)　有価物の見本は廃棄物には該当しない。

**解説**
1　有価物は廃棄物に該当しない。
　廃棄物とは、占有者が自ら利用し、又は他人に有償で売却することができ

ないため不要となった物をいう。ただし、自ら利用する場合とは、他人に有償売却できる性状の物を占有者が使用することをいい、他人に有償売却できない物を排出者が使用することは自ら利用に該当しない。
2 (1)について、銅とレンガくずが一体となっている場合、これは総体として有価物として扱われているので廃棄物には該当しない。
3 (2)について、有償売却されるものであれば、「不要物」ではないので、廃棄物には該当しない。ただし、廃棄物の種類によっては、バーゼル条約に抵触するものもあるので注意を要する。
4 (3)について、有価物として取引する予定の物の見本は、有価物であって、廃棄物に該当しない。

> **質問2** 産業廃棄物に該当する廃プラスチック類や紙くずで、中間処理業者Bが選別・破砕した混合物を、Aは自己の敷地内に搬入し保管と称して2万㎥野積みしている。Aはこの混合物を固形燃料化施設において、ボイラー用の燃料として固形燃料を製造しているが、製造された固形燃料は粗悪品であり、販売されることなく放置されている状態である。Aに当該混合物を撤去するよう指導したところ、ボイラー用の固形燃料の材料として買ってきているので有価物であり、廃棄物ではないと主張している。
> 当該物は産業廃棄物に該当するか。

※※ 回答 ※※
産業廃棄物に該当する。

※※ 解説 ※※
廃棄物に該当するか否かは、その物の性状、排出の状況、通常の取り扱い形態、取引価値の有無及び占有者の意思等を総合的に勘案して判断すべきものとされている。次の点から法第2条第4項に該当する産業廃棄物に該当する。
1 その物の性状
当該物は産業廃棄物として排出されたビニールシート、空き袋、発泡スチロール又は紙切れ等を中間処理業者が破砕・選別したにすぎず、様々な種類のプラスチックや紙切れ等が混合状態で放置されており、通常廃棄物と見ら

れるものと外形上何ら変わりがない。
2　排出の状況

　　中間処理業者Bは、排出事業者から産業廃棄物として処理を請け負ったものを単に破砕・選別したのみで混合状態で排出している。
3　通常の取引形態

　　通常、廃棄物として排出された廃プラスチック類であって、様々な性状のものが混合している場合には、それをそのままの形で原料として使用することは困難とされている。これは、同じプラスチックであっても、ポリエチレン、ポリプロピレン又は塩化ビニル等様々な種類があり、これらはそれぞれの特性を有していることから、混合状態のままでは再商品化することは困難であるからである。これらプラスチックを製品の原料として使用できるようにするためには、当該製品を目的に合わせて、同一性状のプラスチックに選別した上で、破砕するなどの中間処理が必要であり、混合物を単に選別・破砕しただけでは、製品としての取引価値がでるとは考えにくい。本件混合物は、これら様々な性状のプラスチック及び紙切れが不可分一体で混合されており、そのままの形で取引価値があるとは考えられない。また、A社は有価物と称して本件混合物を購入している形式をとっているものの、本件混合物を固形化燃料施設において、一部固形化燃料としているが、固形化燃料自体が粗悪品であり、販売実績もなく事業場に放置されていることからしても、当該物が製品の原料とは言い難い状況である。
4　取引価値の有無

　　当事者の真意及び実際の取引状況については不明ながら、A社は中間処理業者Bから1,000円～2,000円/t程度で購入したことになっている。運搬は誰が行っているのか不明である。
5　占有者A社の意思

　　A社は、「廃棄物の中から素材のよいものを厳選して購入している。」と主張するものの、当該事業地において無造作に野積みされている状況にあり、社会通念上合理的に認定し得る占有者の意思は、廃棄物を放置しているものと解される。

★関係通知：平成14.11.5　環廃産670　産業廃棄物課長通知

> **質問3**　市内の複数のごみ集積所に置かれていた一般家庭等から排出された廃棄物（可燃ごみの入ったごみ袋、不燃ごみ（小型電化製品や空き缶等）の入ったごみ袋及び粗大ごみ等をいう。以下「ごみ袋等」という。）を自宅に繰り返し持ち帰り、当該ごみ袋等を自宅などの敷地内に大量に山積みした上で放置している。自宅などの敷地はごみ袋等であふれ、建物の1階部分は当該ごみ袋等でほぼ埋め尽くされている状態であり、「ごみ屋敷」と呼ばれている。このごみ屋敷に放置されている「ごみ袋等」は廃棄物に該当するか。

### 回答
廃棄物に該当する。

### 解説
廃棄物に該当するか否かは、その物の性状、排出の状況、通常の取り扱い形態取引価値の有無及び占有者の意思等を総合的に勘案して判断すべきものとされている。次の点から法第2条第1項に該当する廃棄物に該当する。

1　その物の性状

　当該物は、一般家庭等から排出された飲食料品等の容器等を含んだ可燃ごみ、不燃ごみ及び瓶・缶・ダンボール等であり、通常の排出状況からみると、生ごみや食べかすの付着したものを含み、悪臭、蚊や蝿などの害虫の発生のおそれのあるものである。

2　排出の状況

　占有者Aは、ごみ集積所から、不定期に1年間にわたり、当該集積所に排出されたごみ袋等を収集し、Aの自宅などの敷地に山積みにした上で放置している。市の指示に従い、一部はごみ集積所に排出したことはあるが、そのほとんどは依然としてAの自宅などの敷地内に山積みした上で放置している。

3　通常の取引形態

　一般廃棄物として処理されている。

4　取引価値の有無

有償譲渡はされておらず、また、客観的に見て社会通念上取引価値のあるものとは認められない。

5 占有者Ａの意思

Ａは、当該物を有価物で自らの財産であると主張するものの適切な保管、品質管理をすることなく、かつ、適切な利用もみられず、いたずらに山積みした上で放置し、１年以上が経過している。このようなことから、社会通念上合理的に認定し得るＡの意思は「廃棄物を占有している」ものである。

なお、Ａは当該物について、「自ら利用し、又は他人に有償で売却できるものである。」こと、及び当該物の放置について「適正な保管である。」ことについて、合理的な根拠を示した上での説明は何らしていない。

6 その他

Ａの自宅などの周辺では、ねずみが跋扈し、当該物に起因する悪臭が漂い、蚊や蝿などの害虫が多数発生し、敷地外に当該物の一部が飛散している。

★関係通知：平成18.6.5　環廃対発060605004　廃棄物対策課長通知

---

**質問4** バイオマス発電燃料焼却灰の廃棄物該当性判断

　木質ペレット又は木質チップを専焼ボイラーで燃焼させて生じた焼却灰について、有効活用が確実で、かつ、不要物とは判断されない場合、産業廃棄物に該当するか。

---

**回答**

産業廃棄物に該当しない。

**解説**

専焼ボイラーの燃料として活用されている間伐材などを原料として製造された木質ペレット又は木質チップについて、それらを燃焼させて生じた焼却灰の中には、物の性状、排出の状況、通常の取扱の形態、取引価値の有無、占有者の意思等を総合的に勘案した結果、不要物とは判断されず畑の融雪剤や土地改良材等として有効活用されている例もある。このような、木質ペレット又は木質チップを専焼ボイラーで燃焼させて生じた焼却灰（塗料や薬剤を含む若しくはそのおそれのある廃木材又は当該廃木材を原料として製造したペレット又は

チップと混焼して生じた焼却灰を除く。)のうち、有効活用が確実で、かつ、不要物とは判断されない焼却灰は、産業廃棄物には該当しない。

★関係通知：平成25．6．28　環廃産発1306282　産業廃棄物課長通知

> **質問5**　産業廃棄物の中間処理業者Aは、建設汚泥の凝集固化による中間処理を行っている。Aは中間処理後の固化改良汚泥を建設発生土等の埋立事業場に地盤改良材及びのり面強化材と称して販売し搬入を行っており、改良汚泥は「建設工事から生ずる廃棄物の適正処理について」別添の「建設廃棄物処理指針」の再生利用認定に係る金属等の基準を満足しているので、問題がないとしている。
> 　しかし、一方、同建設廃棄物処理指針には「有償売却できる性状のもの」との要件を満たさなければ依然として産業廃棄物であると解している。
> 　以上のことから、当該改良汚泥については、法第2条第4項に規定する産業廃棄物と解してよいか。

### 回答

貴見のとおり解して差し支えない。

### 解説

廃棄物に該当するか否かは、その物の性状、排出の状況、通常の取り扱い形態、取引価値の有無及び占有者の意思等を総合的に勘案して判断すべきものとされている。次の点から法第2条第4項に該当する産業廃棄物に該当する。

1　その物の性状

　当該物は、地下鉄工事等の掘削工事において、泥水シールド工法等によって発生したものであり、その時点で汚泥と判断されたものを石灰や固化剤等で脱水、安定化し、凝集固化したもの（改良汚泥）である。本件汚泥は、依然として流動性を有している状態のものもあり、その余のものも多少の降雨で即座に流動性を有する状態となる。このため、そのままでは、埋め戻し材などとして使用することはできないため、Aは本件改良汚泥を使用するに当たっては、一角に掘った穴で通常の建設発生土とこね合わせるなどして、ある程度固化させた上で使用している状態にある。

## 2　通常の取引形態

そもそも建設汚泥を石灰や固化剤等で脱水・安定化し、凝集固化したものについては、通常、有用物たる改良土（リサイクル推進の観点から一定の水準を満たしたものについて公共工事等において使用されるもの）として使用することはできない。近隣の改良汚泥の管理型産業廃棄物処分場への処分費は18,000円～28,000円/㎥であり、運搬費は4,000円/㎥前後である。

なお、中間処理を発生しない建設発生土の処分費は400円/㎥である。

## 3　占有者Aの意思

Aは当該物を土砂等の埋立事業場までの運送料込みで、300円/㎥で販売したので、「有価物」であると主張している。しかし、この価格は明らかに通常の運送料を下回る価格である。さらに、Aは価格設定を変更し、運送料抜きで100円/㎥で土砂等の埋立て事業者が引き取りにくると主張している。中間処理を必要としない建設発生土は400円/㎥の埋立て費用を払って土砂等の埋立事業場に持ち込まれている。

すなわち、本件改良土の性状に照らしても、製品としての価値に見合う価格があるのではなく、実質的な最終処分を売買の形式とするための価格設定を行っていると考えられることから、この行為は形式的、脱法的な有償売却と判断できる。

## 4　のり面強化材

土砂等の埋立事業の「のり面強化材」としての使用について、のり面の表面だけに使用する場合やのり面が存在する構造基準までのすべてに使用するなどまちまちであって、のり面の安定性を強化する用途に使用しているとは言い難い。使用後の状況を見ても、時間の経過とともに本件改良汚泥の流出・飛散が見られるほか、当該汚泥が固化材の影響で高アルカリ性を示していることとも関連して、草木が全く生えない状態で放置され、のり面強化の機能があるとは客観的に認められないこと、また、本件改良汚泥が降雨によって高い流動性を有することを考慮すると、このまま放置した場合には大規模な流出事故の発生も否定し得ない状態であると認められることから、このような使用方法は通常の建設工事においては、到底とられないものであり、

社会通念に照らしてのり面強化に用いられているとは考えられない。
5　地盤補強材
　土砂等の埋立事業の「地盤補強材」としての使用について、植栽を行うための表層部を形成する植栽対象基盤を除くすべてに埋立て材として改良汚泥を使用する場合が見受けられ、地盤が沈下等しないように補強する用途に使用しているとは言い難い。また、本件改良汚泥が降雨によって高い流動性を有すると認められることから、このような使用方法は、通常の建設工事においては到底とられないものであり社会通念に照らして地盤強化に用いられているとは考えられない。
★関係通知：平成14.7.18　環廃産407　産業廃棄物課長通知
　　　　　　平成23.3.30　環廃産110329004　産業廃棄物課長通知「建設工事から生ずる廃棄物の適正処理について」別添の「建設廃棄物処理指針」

---

**質問6**　建設汚泥処理物の廃棄物該当判断
　建設汚泥処理物について廃棄物に該当するかどうかを判断する際の基礎となる考え方はどういうものか。

---

◎◎ 回答 ◎◎

　建設汚泥処理物の廃棄物に該当するかどうかの判断に当たって、次の判断要素の基準（以下「有価物判断要素」という。）を検討し、それらを総合的に勘案して判断することによって、当該建設汚泥処理物が廃棄物に該当するか、あるいは有価物かを判断されたい。
1　物の性状について
　当該建設汚泥処理物が再生利用の用途に要求される品質を満たし、かつ飛散・流出、悪臭の発生などの生活環境の保全上の支障が生ずるおそれのないものであること。当該建設汚泥処理物がこの基準を満たさない場合には、通常このことのみをもって廃棄物に該当するものと解して差し支えない。
　実際の判断に当たっては、当該建設汚泥処理物の品質及び再生利用の実績に基づき、当該建設汚泥処理物が土壌の汚染に係る環境基準、「建設汚泥再

生利用技術基準（案）」（平成11年3月29日付け建設省技調発第71号建設大臣官房技術調査室長通達）に示される用途別の品質及び仕様書等で規定された要求品質に適合していること、このような品質を安定的かつ継続的に満足するために必要な処理産業廃棄物に該当する。

2　排出の状況

　　当該建設汚泥処理物の搬出が、適正な再生利用のための需要に沿った計画的なものであること。実際の判断に当たっては、搬出記録と設計図書の記載が整合していること、搬出前の保管が適正に行われていること、搬出に際し品質検査が定期的に行われ、かつその検査結果が上記1の「物の性状」において要求される品質に適合していること、又は搬出の際の品質管理体制が確保されていること等を確認する必要がある。

3　通常の取扱い形態

　　当該建設汚泥処理物について建設資材としての市場が形成されていること。なお、現状において、建設汚泥処理物は、特別な処理や加工を行った場合を除き、通常の脱水、乾燥、固化等の処理を行っただけでは、一般的に競合材料である土砂に対して市場における競争力がないこと等から、建設資材としての広範な需要が認められる状況にはない。実際の判断に当たっては、建設資材としての市場が一般に認められる利用方法[※1]以外の場合にあっては、下記4の「取引価値の有無」の観点から当該利用方法に特段の合理性があることを確認する必要がある。

※1　建設資材としての市場が一般に認められる建設汚泥処理物の利用方法の例
　・焼成処理や高度安定処理した上で、強度の高い礫状・粒状の固形物を粒径調整しドレーン材として用いる場合
　・焼成処理や高度安定処理した上で、強度の高い礫状・粒状の固形物を粒径調整し路盤材として利用する場合
　・スラリー化安定処理した上で、流動化処理工法等に用いる場合
　・焼成処理した上で、レンガやブロック等に加工し造園等に用いる場合

4　取引価値の有無

　　当該建設汚泥処理物が当事者間で有償譲渡されており、当該取引に客観的合理性があること。実際の判断に当たっては、有償譲渡契約や特定の有償譲

渡の事実をもってただちに有価物であると判断するのではなく、名目を問わず処理料金に相当する金品の受領がないこと、当該譲渡価格が競合する資材の価格や運送費等の諸経費を勘案しても営利活動として合理的な額であること、当該有償譲渡の相手方以外の者に対する有償譲渡の実績があること等の確認が必要である。

　また、建設資材として利用する工事に係る計画について、工事の発注者又は施工者から示される設計図書、確認書等により確認するとともに、当該工事が遵守あるいは準拠しようとする、又は遵守あるいは準拠したとされる施工指針や共通仕様書等から、当該建設汚泥処理物の品質、数量等が当該工事の仕様に適合したものであり、かつ構造的に安定した工事が実施される、又は実施されたことを確認することも必要である。

5　占有者の意思

　占有者において自ら利用し、又は他人に有償で譲渡しようとする、客観的要素からみて社会通念上合理的に認定し得る占有者の意思があること。したがって、占有者において自ら利用し、又は他人に有償で譲渡できるものであると認識しているか否かは、廃棄物に該当するか否かを判断する際の決定的な要素になるものではない。

　実際の判断に当たっては、上記1から4までの各有価物判断要素の基準に照らし、適正な再生利用を行おうとする客観的な意思があるとは判断されない、又は主に廃棄物の脱法的な処分を目的としたものと判断される場合には、占有者の主張する意思の内容によらず廃棄物に該当するものと判断される。

※※※ 解説 ※※※

1　建設汚泥処理物については、建設汚泥に人為的に脱水・凝集固化等の中間処理を加えたものであることから、中間処理の内容によっては性状等が必ずしも一定でなく、飛散・流出又は崩落のおそれがあることに加え、有害物質を含有する場合や、高いアルカリ性を有し周辺水域へ影響を与える場合もある等、不要となった際に占有者の自由な処分に任せると不適正に放置等され、生活環境の保全上支障が生ずるおそれがある。そのため、建設汚泥処理物であって不要物に該当するものは廃棄物として適切な管理の下におくことが必

要である。その一方で、生活環境の保全上支障が生ずるおそれのない適正な再生利用については、積極的に推進される必要がある。
2 　廃棄物とは、占有者が自ら利用し、又は他人に有償で譲渡できないために不要になった物をいい、これらに該当するか否かは、その物の性状、排出の状況、通常の取扱い形態、取引価値の有無及び占有者の意思等を総合的に勘案して判断すべきものである。
　　特に建設汚泥処理物については、建設資材として用いられる場合であっても、用途（盛土、裏込め、堤防等）ごとに当該用途に適した性状は異なること、競合する材料である土砂に対して現状では市場における競争力がないこと等から、あらかじめその具体的な用途が定まっており再生利用先が確保されていなければ、結局は不要物として処分される可能性が極めて高いため、その客観的な性状だけからただちに有価物（廃棄物に該当しないものをいう。以下同じ。）と判断することはできない。また、現状において建設汚泥処理物の市場が非常に狭いものであるから、建設汚泥処理物が有償譲渡される場合であってもそれが経済合理性に基づいた適正な対価による有償譲渡であるか否かについて慎重な判断が必要であり、当事者間の有償譲渡契約等の存在をもってただちに有価物と判断することも妥当とは言えない。これらのことから、各種判断要素を総合的に勘案して廃棄物であるか否かを判断することが必要である。
3 　建設汚泥又は建設汚泥処理物に土砂を混入し、土砂と称して埋立処分する事例が見受けられるところであるが、当該物は自然物たる土砂とは異なるものであり、廃棄物と土砂の混合物として取り扱われたい。
4 　建設汚泥処理物の廃棄物該当性（又は有価物該当性）については、廃棄物処理法の規制の対象となる行為ごとにその着手時点において判断することとなる。例えば、無許可処理業に該当するか否かを判断する際には、その業者が当該処理（収集運搬、中間処理、最終処分ごと）に係る行為に着手した時点であり、不法投棄に該当するか否かを判断する際には、投棄行為に着手した時点となる。したがって、例えば不法投棄が疑われる埋立処分行為がなされた後に、当該建設汚泥処理物の性状等が変化した場合であっても、当該埋

立処分行為がなされた時点での状況から廃棄物該当性を判断することが必要である。

5 自ら利用についても、同様に各有価物判断要素を総合的に勘案して廃棄物該当性を判断する必要がある。ただし、建設工事から発生した土砂や汚泥を、適正に利用できる品質にした上で、排出事業者が当該工事現場又は当該排出事業者の複数の工事間において再度建設資材として利用することは従来から行われてきたところであり、このように排出事業者が生活環境の保全上支障が生ずるおそれのない形態で、建設資材として客観的価値が認められる建設汚泥処理物を建設資材として確実に再生利用に供することは、必ずしも他人に有償譲渡できるものでなくとも、自ら利用に該当するものである。

　排出事業者の自ら利用についての実際の判断に当たっては、各有価物判断要素の基準に照らして行うこと。ただし、通常の取扱い形態については、必ずしも市場の形成まで求められるものでなく、上述の建設資材としての適正な利用が一般に認められることについて確認すること。また、取引価値（利用価値）の有無については4の後段部分を参照すること。

　なお、建設汚泥の中間処理業者が自ら利用する場合については、排出事業者が自ら利用する場合とは異なり、当該建設汚泥処理物が他人に有償譲渡できるものであるか否かにつき判断されたい。

★関係通知：平成17.7.25　環廃産発050725002　産業廃棄物課長通知

---

**質問7　建設汚泥処理物等の有価物該当性**

　建設汚泥処理物及び再生砕石並びにこれらを原材料としたもの（以下「建設汚泥処理物等」という。）について、建設資材や建設資材の原材料（以下「建設資材等」という。）として再生利用される用途に照らして品質及び数量が適切であるにもかかわらず、再生利用先へ搬入されるまでは廃棄物として扱われることにより、一部の地方公共団体において行われている事前協議制等による域外からの産業廃棄物の搬入規制の対象となるなど適正な再生利用が妨げられている。再生利用が確実であるものについての取扱いはどうか。

## 🎗🎗 回答 🎗🎗

　建設汚泥処理物等の廃棄物該当性の判断に当たって、総合的に勘案して判断すべきものであるが、各種判断要素の基準を満たし、かつ、社会通念上の合理的な方法で計画的に利用されることが確実であることを客観的に確認できる場合にあっては、建設汚泥やコンクリート塊に中間処理を加えて当該建設汚泥処理物等が建設資材等として製造された時点において、有価物として取り扱うことが適当である。

## 🎗🎗 解説 🎗🎗

　建設汚泥処理物等が再生利用が確実であるということは、具体的には、仕様書等で規定された用途及び需要に照らして適正な品質及び数量である建設汚泥処理物等が、飛散・流出・崩落等の生活環境の保全上の支障や品質の劣化を発生させずに適切に保管され、当該仕様書等に従って客観的にみて経済合理性のある有償譲渡として計画的に搬出され、再生利用されることが確実であることを確認する必要がある。

　ここで、再生利用される建設汚泥処理物等が「需要に照らして適正な品質及び数量である」かどうかや、「有償譲渡として計画的に搬出され、再生利用されることが確実である」かどうかは、処理又は製造及びそれらの管理の計画書や、再生利用の実施に関する中間処理業者と当該建設汚泥処理物等を利用する事業者との間の確認書又は再生利用の実施を確認できる書類（法令に基づき公的機関等により認可等された工事であることを証明する書類、工事発注仕様書、再生資源利用促進計画書、その他の事前協議文書等）を確認することで足りる。また、建設汚泥処理物等は建設資材や製品の原材料としての広範な需要が認められる状況にはないため、建設資材や原材料としての市場が一般に認められない利用方法の場合にあっては、再生利用されることが確実であることを確認できる書類等により、当該利用方法に特段の合理性があることを確認されたい。

　上述の点を踏まえた建設汚泥処理物等の有価物該当性について、都道府県や公益社団法人及び公益財団法人の認定等に関する法律（平成18年法律第49号）第4条の規定による認定を受けた法人等、建設汚泥処理物等に係る処理事業者や製造業者に当たらない独立・中立的な第三者が、透明性及び客観性をもって

認証する場合も、建設汚泥やコンクリート塊に中間処理を加えて当該建設汚泥処理物等が建設資材等として製造された時点において有価物として取り扱うことが適当である。

ただし、以上に述べた確認を経て有価物に該当するとされた建設汚泥処理物等が、実際に利用された場合においてその有価物該当性に疑義が生じた場合には、改めて、各種判断要素の基準に基づき当該建設汚泥処理物等の廃棄物該当性を判断し、適切に対応する必要がある。

★関係通知：令和2.7.20　環循規発2007202　廃棄物規制課長通知

> **質問8**　中古自動車の輸出時における一時的な部品の取り外し判断について
> 　中古自動車の輸出において、不適正に解体された自動車を中古車として輸出されることがあるので、
> 　(1)　中古車の輸出と認められない事例、(2)　中古車の輸出として認められる部品取り外しの範囲、及び(3)　廃棄物の輸出に該当する事例について、どういうものがあるか。

◎◎◎ 回答 ◎◎◎

1　中古車の輸出とは認められない事例

　次の作業が行われたものは、外見上自動車としての使用を終えていることが明確であることから、中古車として輸出することはできない。また、こうした作業は、使用済自動車の解体行為であり、自動車リサイクル法の解体業の許可を受けた解体業者でなければ行うことができない。

　　①ハーフカット、②ノーズカット、③ルーフカット、④テールカット、⑤エンジンの取り外し、⑥車軸の取り外し、⑦サスペンションの取り外し

2　中古車の輸出として認められる部品取り外しの範囲

　1以外の場合でも、輸出に当たり部品の取り外しを行うときは、自動車リサイクル法の解体行為に当たる可能性がある。

　ただし、次の付属品等を取り外す行為は、解体行為とは解釈されない。

　　①カーナビ、②カーステレオ、③カーラジオ、④車内定着式テレビ、⑤

ＥＴＣ車載器、⑥時計、⑦サンバイザー、⑧サイドバイザー、⑨ブラインド（カーテン、カーテンレールを含む。）、⑩泥除け、⑪消火器、⑫運賃メーター、⑬防犯灯、⑭防犯警報装置、⑮防犯ガラス（プラスチック製のものを含む。）、⑯タコグラフ（運行記録計）、⑰自重計、⑱運賃料金箱（両替機を含む。）

また、次の品目については、コンテナ輸送に伴う積載効率の観点からやむを得ず一時的に取り外し、これらを取り外された車両と同一のコンテナに積載する場合に限り、その取り外しは解体行為とは解釈されない。

①タイヤ、②ミラー、③バンパー、④ボンネット、⑤リアハッチ・トランクリッド

3　廃棄物の輸出に該当する事例

使用済自動車、解体自動車※、特定再資源化物品は、自動車リサイクル法第121条に基づき、廃棄物とみなされる。廃棄物を輸出する場合、廃棄物処理法に基づき、環境大臣の確認が必要である。

このため、1の①から⑦までに掲げるハーフカット等の作業が行われた自動車を輸出しようとした場合であって、フロン類、エアバッグ類、鉛蓄電池、リチウムイオン電池、ニッケル・水素電池、タイヤ、廃油、廃液及び室内照明用の蛍光灯が回収されていないときは、廃棄物の輸出に該当するおそれが高く、違法な輸出が未遂であっても、廃棄物の未確認輸出として、罰せられる可能性がある。

※　適正に解体され、その全部を利用するものとして輸出業者等に引き渡されたものは、一律には廃棄物と見なされず、個別に諾否が判断される。

★関係通知：平成25．2．4　事務連絡　経済産業省自動車課、環境省リサイクル推進室

## Ⅱ　廃棄物に該当しないもの

**質問9**　次に掲げるものは、廃棄物に該当するか。
　除去、廃棄される古い墓

❄❄ 回答 ❄❄

墓は、祖先の霊を埋葬・供養等してきた宗教的感情の対象であるので、宗教行為の一部として墓を除去し廃棄する場合、廃棄物として取り扱うことは適当でない。

❄❄ 解説 ❄❄

墓は、宗教的感情の対象であり、その廃棄が宗教行為の一部として社会通念上適切に行われるならば、これを廃棄物として扱うことは不適当である。

ただし、こうした通念に合致せず、単なる廃棄物として扱われている場合（極端な場合には、不法投棄）には廃棄物に該当し、それが事業活動によるものならば、産業廃棄物のがれき類に該当することになる。

> **質問10** 次のような場合、法が適用されるか。
> (1) 放射性医薬品を廃棄する場合
> (2) 他人の不要としたものを引き取り燃焼させて発生する熱を利用する場合
> (3) 他人に有償売却できない物により自ら利用として、土地造成を行う場合

❄❄ 回答 ❄❄

(1) 法第2条第1項において廃棄物から放射性物質及びこれによって汚染された物を除いており、法の適用はない。
(2) 廃棄物を燃焼させる行為には法が適用される。
　　熱の利用行為には法は適用されない。
　　焼却残さについては法が適用される。
(3) 法は適用される。

❄❄ 解説 ❄❄

1　(1)については、放射性物質や放射性物質に汚染された物は、放射性同位元素等の規制に関する法律（昭和32年6月10日法律第167号）によって規定されている。

廃棄物処理法上の廃棄物からは放射性物質及びこれによって汚染された物

を除くことになっているため、この行為については、廃棄物処理法は適用されない。

★法第2条第1項

「放射性物質及びこれによって汚染された物を除く。」

また、「核原料物質、核燃料物質及び原子炉の規制に関する法律（昭和32年法律第166号）」の規定により原子力施設に用いられた金属、コンクリート等であって放射能濃度が著しく低いことを主務大臣が確認したものについては、通常の廃棄物と同等の処分、再生利用が可能となった。

2　(2)については、廃棄物とは、ごみ、粗大ごみ、燃え殻、汚泥、ふん尿、廃油、廃酸、廃アルカリ、動物の死体その他の汚物又は不要物であって、固形状又は液状のものと定義されている。

よってこの場合の他人が不要としたものを無償又は処理費用を受けて引き取り燃焼する行為は、廃棄物を燃焼させる行為であるので法が適用される。熱の利用行為自体については特に法で定めているところではないが、焼却施設に設置許可が必要な場合がある。焼却行為によって生じる焼却残さについては廃棄物であるので法が適用される。

3　(3)について、この場合の「物」については、それが「土砂及びもっぱら土地造成の目的となる土砂に準ずるもの」、「港湾、河川等のしゅんせつに伴って生ずる土砂その他これに類するものでない限り、廃棄物に該当するものであり、したがって、この土地造成行為は廃棄物の埋立行為に該当する。なお、「自ら利用」とは、他人に有償売却できる性状の物を占有者が使用することをいい、排出者が自己の生産工程へ投入して原材料として使用する場合を除き、他人に有償売却できない物を排出者が使用することは「自ら利用」には該当しない。また、廃棄物による土地造成は埋立処分に該当し、設置許可が必要となる。

(参考)

次のものは、法の対象となる廃棄物から除外されている。

1　港湾、河川等のしゅんせつに伴って生ずる土砂、その他これに類するもの

2 漁業活動に伴って漁網にかかった水産動植物等であって、その漁業活動を行った現場付近において排出したもの
3 土砂及びもっぱら土地造成の目的となる土砂に準ずるもの
★関係通知：昭和46.10.16　環整43　環境衛生局長通知第1、2(1)

## Ⅲ　廃棄物としての認識

質問11　地下工作物が老朽化したので、これを埋め殺す計画を有している事業者がいる。この計画のままでは生活環境の保全上の支障が想定されるが、いつの時点から法を適用すればよいか。

❁❁ 回答 ❁❁

地下工作物を埋め殺そうとする時点から当該工作物は廃棄物となり、法の適用を受ける。

❁❁ 解説 ❁❁

地下工作物については、それが不要となった時点で廃棄物となるのではなく、埋め殺すなど、客観的に不要物であることが明らかになった時点で廃棄物となり、法の適用を受けることになる。

現在では、最終処分場の規模要件がなくなっており、埋め殺す際には最終処分場の設置許可が必要となり、埋め殺すなどの計画が明らかになった時点で構造基準などの観点から整合を取る必要がある。

質問12　高圧ガス保安法（昭和26年法律204号）では、使用できないボンベについて、くず化（穴を開けたり、2つに切断する。）しなければ廃棄することができないこととされている。このうち使用できないボンベは法令上二種類存在する。
　　ア　高圧ガスを充填するための容器
　　　　容器保安規則第24条に規定する基準に従い、一定期間ごとに容器検査所による検査を依頼し、合格したものは再度使用するものの、

不合格となったものは使用できなくなるため、所有者は保安法に基づき、くず化し容器として使用することができないように処分することが義務付けられる。
　　　通常は、容器検査所が検査設備として圧縮機等を有していることから、不合格となったボンベについて残ったガスを抜き取った後にくず化している。
　　イ　アルミコンポジット容器（一般複合容器等）
　　　製造から15年経過した時点（再充填禁止容器については、製造から３年経過した時点）で、一般高圧ガス保安規則により高圧ガスの充填ができなくなり、結果として使用できなくなるが、所有者は保安法により、くず化した上で廃棄することが義務づけられる。
このガスボンベについて、廃棄物処理法上の次の取扱いは如何。
(1)　産業廃棄物の排出時点
(2)　排出事業者

### 回答
(1)　産業廃棄物の排出時点は、くず化が終了した時点である。
(2)　容器所有者が排出事業者である。

### 解説
1　(1)について、アのボンベのうち、検査不合格品については容器として再度利用されることがないよう容器所有者が遅滞なく「くず化」することが義務づけられており、保安上くず化までが容器所有者の責務と解される。
　したがって、容器所有者は、検査不合格となったとしてもそのままでは破棄することができず、ボンベをくず化した時点において、廃棄物処理法上の廃棄物（産業廃棄物たる金属くず）として排出が可能となる。イの容器も同じ。
2　(2)について、くず化までが容器所有者の責務とされていることから、くず化の行為を容器所有者が行っているか否かにかかわらず容器所有者が廃棄物処理法上の排出事業者に該当する。

3 なお、廃ボンベについて、くず化後古金属として再生利用される場合には、もっぱら再生利用の目的となる廃棄物として扱われる。

★関係通知：平成15.2.19　環廃産104　産業廃棄物課長回答

> **質問13** 有償売却できる産業廃棄物の引渡し
> (1) 再生利用が予定されている産業廃棄物について、再生利用の入り口となる、引渡し（輸送）の過程で廃棄物処理法の規制を及ぼすのは、円滑なリサイクル市場の発展を阻害するのではないか。
> (2) 有償で譲り受ける者が占有者となる時点以前についての廃棄物該当性はどうなるのか。例えば、収集運搬については、輸送費が売却代金を上回っている場合には産業廃棄物と判断されるのか。
> (3) 再生利用又はエネルギー源として利用するために有償で譲り受ける者が、引渡側の排出事業場に譲り受ける物を引き取りに行く場合、「再生利用又はエネルギー源として利用するために有償で譲り受ける者が占有者となった時点」は譲り受ける者が当該物の引渡しを受けた時点と解してよいか。

※※ 回答 ※※

(1) 廃棄物処理法の規制を適用する。
(2) 販売価格より運送費が上回ることのみをもってただちに「経済合理性がない」と判断するものではなく、「行政処分の指針」第1の4(2)①エに従い判断する必要がある。
(3) お見込みのとおり。

※※ 解説 ※※

(1) 廃棄物処理法が他人に有償で売却することができない物を廃棄物としてとらえて規制を及ぼしているのは、たとえそれが他者に引き渡した後に再処理等により有償で売却できるものになるとしても、今その物を占有している者にとって不要である場合、ぞんざいに扱われ生活環境保全上の支障を生じるおそれがあることによるものである。

このように、廃棄物について、いずれ有償売却されることや再生利用され

ることを理由に廃棄物処理法の規制を及ぼさないことは不適切であり、再生利用するために有償で譲り受ける者が占有者となるまでは、廃棄物処理法の規制を適用する必要がある。
(2) 行政処分の指針　第1の4(2)①エ　取引価値の有無
　　占有者と取引の相手方の間で有償譲渡がなされており、なおかつ客観的に見て当該取引に経済的合理性があること。実際の判断に当たっては、名目を問わず処理料金に相当する金品の受領がないこと、当該譲渡価格が競合する製品や運送費等の諸経費を勘案しても双方にとって営利活動として合理的な額であること、当該有償譲渡の相手方以外の者に対する有償譲渡の実績があること等の確認が必要であること。
(3) 有償で譲り受ける者が占有者となった時点以降については廃棄物に該当しないと判断しても差し支えないことを示したものである。
　　★関係通知：平成17.7.4　規制改革通知に関するQ＆A集　Q9，Q11，Q12　平成25.6.28改正

## Ⅳ　一般廃棄物と産業廃棄物

―――― 法令上の規定 ――――
法第2条（定義）
2　この法律において「一般廃棄物」とは、産業廃棄物以外の廃棄物をいう。
4　この法律において「産業廃棄物」とは、次に掲げる廃棄物をいう。
　(1) 事業活動に伴って生じた廃棄物のうち、燃え殻、汚泥、廃油、廃酸、廃アルカリ、廃プラスチック類その他政令で定める廃棄物

### Ⅳ-1　事業活動からの排出

**質問14**　次に掲げる廃棄物は、一般廃棄物と産業廃棄物のどちらに該当するか。
(1) 事業活動に伴って排出された、燃え殻、汚泥、廃油、廃酸、廃アルカ

リ、廃プラスチック
(2)　病院から排出される注射器等のガラスくず、金属くず、廃プラスチック類

❖❖❖ 回答 ❖❖❖

(1)　産業廃棄物に該当する。
(2)　産業廃棄物に該当する。
　　感染性を有するものであれば、特別管理産業廃棄物（感染性産業廃棄物）に該当する。

❖❖❖ 解説 ❖❖❖

1　(1)について、廃棄物のうち、事業活動に伴って排出された20種類の廃棄物を産業廃棄物とし、それ以外の廃棄物を一般廃棄物として規定している。
　★関係通知：昭和46.10.16　環整43　環境衛生局長通知　第1、2(2)
2　(2)について、法第2条に規定する事業活動は、公共サービスも含む広い概念なので、病院から排出される注射器等は、ガラスくず等の産業廃棄物に該当する。

(参考)
　血液そのものは感染性のおそれがあるという認識が国際的に定着していること、病院等においては血液等は不衛生なものとして取り扱われていること、また、血液等が廃棄物として不適正に処理された場合、住民に不安を与えたり、鋭利なものに付着することによって人に未知のウイルスも含めて感染性を生じさせるおそれは否定できないことから、これらはすべて感染性廃棄物とする。(関連質問37参照)
　★関係通知：平成4.8.13　衛環234　水道環境部長通知　別紙1、1(1)

質問15　店頭回収された廃ペットボトル等の廃棄物処理法の取扱い
　　使用済みペットボトルは容器包装リサイクル法に基づく分別収集及びその分別基準適合物の再商品化の取組並びにペットボトル等の販売を行う事

業者による自主的な回収・リサイクルの取組等により再商品化されることが一般的となってきている。
　その廃棄物処理法上の取扱いはどうなるか。

### 回答

　市民の消費活動によって排出された廃ペットボトル等は、本来一般廃棄物であるが、店頭回収された廃ペットボトル等が事業活動に伴って生じた廃棄物と認められる場合は、産業廃棄物であると解釈して差し支えない。

### 解説

1　小売販売を業として行う者が自ら処理を行う場合（廃ペットボトル等が産業廃棄物として扱われる場合）

　店頭回収された廃ペットボトル等が事業活動に伴って生じた廃棄物と認められる場合は産業廃棄物である。

(1)　事業活動性

　廃ペットボトル等については、そのリサイクル技術が確立し、店頭回収等による回収ルートの多様化により再生利用促進が期待される状況に鑑み、本体事業がペットボトル及びプラスチック製の食品用トレイの販売事業である小売事業者が、当該製品の販売後に廃ペットボトル等の回収を行うことについて、以下の要件を充足する場合に限り、当該回収行為は事業活動と回収対象物に密接な関連性があるとして「事業活動の一環として行う付随的活動」であると認められ、法第2条第4項第1号に規定する「事業活動」と解釈して差し支えない。ただし、下記2に掲げる場合を除く。

　なお、「事業活動の一環として行う付随的活動」の解釈をむやみに拡げ、自社廃棄物と扱い得る範囲を拡大することは、許可制度の形骸化や不適正処理につながるおそれがあることから、廃ペットボトル等の店頭回収が「事業活動の一環として行う付随的活動」に該当するか否かについては、具体的な状況等に照らして適切に判断されたい。

①　主体

　販売事業を行う者と同一の法人格を有する者が回収を行う場合に限ら

れること。
② 対象
再生利用に適した廃ペットボトル等で、かつ、販売製品と化学的、物理学的に同一程度の性状を保っている廃ペットボトルに限られること。
③ 回収の場所
販売事業を行う場所と近接した場所で回収が行われる場合に限られること。
④ 管理意図及び管理能力
販売製品の販売から回収までの一連の行為について管理する意思があり、かつ、適切な管理が可能であること。
⑤ 一環性及び付随性
本体事業活動の便益向上を図るために、当該事業活動に密接に関連するものとして付随的かつ一環として行う行為に限られること。
(2) 処理責任の所在
店頭回収された廃ペットボトル等が、産業廃棄物として扱われる場合、その処理責任は排出事業者である小売事業者等が有することに留意すること。
2 一般廃棄物収集運搬業者に収集運搬を委託する場合（廃ペットボトル等が一般廃棄物として扱われる場合）
上記1のような場合であっても、当該店頭回収が開始された当初から、市町村の一般廃棄物処理計画の下で当該市町村から一般廃棄物処理業の許可を受けている事業者と委託契約を締結し、廃ペットボトル等の処理が適正に行われている場合等においては、当該廃ペットボトル等について引き続き一般廃棄物として適正処理が継続されることを妨げるものではない。

★関係通知：平成28.1.8　環廃企発1601085・環廃対発1601084・環廃産発1601084　リサイクル推進室長・廃棄物対策課長・産業廃棄物課長通知

## Ⅳ-2　木くず

**質問16**　次に掲げる廃棄物は、一般廃棄物と産業廃棄物のどちらに該当するか。
(1)　船舶から輸入木材を陸揚げする際に生じる海面に浮遊する木くず
(2)　水力発電所のダム管理に当たり不要として排出された流木
(3)　工作物の除去に伴い不要となった木材
(4)　個人家屋を自ら解体したときの廃木材
(5)　リース事業者から排出されるリース物品（家具・器具類等）の木くず
(6)　貨物流通のために使用したパレット

**回答**

(1)　輸入木材の卸売業に係るものであれば、陸揚げの時点で産業廃棄物（木くず）に該当する。
(2)　一般廃棄物に該当する。
(3)　建設業の事業活動に伴って生じた場合は産業廃棄物（木くず）に該当し、それ以外の場合は一般廃棄物に該当する。
(4)　一般廃棄物に該当する。
(5)、(6)　産業廃棄物に該当する。（平成20年4月1日から）

**解説**

1　(1)について、令第2条第2号により、輸入木材の卸売業に係る木くずについては、産業廃棄物に該当すると規定されている。

　輸入木材の卸売業に係る木くずの中には、輸入木材の輸入を業務の一部又は全部として行っている総合商社、貿易商社等の輸入木材に係る木くず、おがくず、バーク類等が含まれる。

　なお、船舶から輸入木材を陸揚げする際に、船舶の側面から海面に直接木材を放出し引き揚げる方式がとられる場合、海面に浮遊する木くずは、それが輸入木材の卸売業に係るものであれば、陸揚げの時点で産業廃棄物の木くずとなる。

2　(2)について、産業廃棄物の木くずには業種限定があり、ダム管理はその業種に含まれない。

3　(3)について、建設業の事業活動に伴って生じた木くずは、令第2条第2号に掲げる産業廃棄物（木くず）となる。ただし、工作物を除去する場合であっても、建設業の事業活動以外から発生した木くずは、一般廃棄物となる。

　したがって、(4)の場合は一般廃棄物である。

　なお、工作物の除去に伴って生じた木くずがコンクリート破片等と密接不可分の状態である場合には、全体として令第2条第9号の産業廃棄物（がれき類）と解して差し支えない。

　しかしながら、埋立処分に当たっては管理型処分となる。

4　(5)について、「物品賃貸業に係る木くず」については、リース事業者から排出されるリース物品に（家具・器具類等）に係る木くずが、平成20年4月から産業廃棄物に該当することとなった。

　物品賃貸業に係る木くず等が廃棄物に該当するか否かは、その物質の性状、排出の状況、通常の取扱い形態、取引価値の有無及び占有者の意志等を総合的に勘案して判断すべきものである。

　したがって、例えば、木製のリース物品が、当該リース契約終了後に有価物として売買され、その後、リース事業者以外の事業者から廃棄物として排出される場合には、当該廃棄物は、物品賃貸業から排出されたものでないため、「物品賃貸業に係る木くず」には該当しない。

5　(6)について、「貨物流通のために使用したパレット（パレットへの貨物積付けのために使用した梱包用の木材を含む。）に係る木くず」については、業種による限定が設けられていないため、排出事業者の業種を問わず、事業活動に伴って生じたものはすべて平成20年4月から産業廃棄物に該当することとなった。

　なお、魚や野菜などを輸送する際に当該貨物の中に入れるために用いられる小型の木箱やパレットの使用を伴わない大型の木枠などは、パレットの積付けのために使用されるものではないため、これらに係る木くずは、「パレットへの貨物の積付けのために使用したこん包用の木材にかかる木くず」

には該当しない。

★関係通知：平成19．9．7　環発対070907001・環廃産発070907001　廃棄物対策課長・産業廃棄物課長通知

## Ⅳ-3　動植物性残さ

> 質問17　次に掲げる廃棄物は、一般廃棄物と産業廃棄物のどちらに該当するか。
> (1)　食料品製造業から排出される製品くず（例えばハム製造におけるハムくず、パン製造業におけるパンくず等）
> (2)　輸入業者が輸入したバナナ等の果実や生鮮野菜の腐ったものを通関手続き後に陸上で処理するもの

*※* 回答 *※*

(1)　通常の製造工程から排出された物は、産業廃棄物に該当する。
(2)　食料品製造業等の業種に該当しないので、一般廃棄物である。

*※* 解説 *※*

1　(1)については、令第2条第4号に食品製造業、医薬品製造業又は香料製造業において原料として使用した動物又は植物に係る固形状の不要物（動植物性残さ）を産業廃棄物と規定している。

また、原料として使用した動物又は植物に係る固形状の不要物のほか、製品として完成するまでの通常の製造工程から排出される製品くずも産業廃棄物に該当する。

★関係通知：昭和46.10.25　環整45　環境整備課長通知　別紙(10)
　　　　　　平成12.12.28　生衛発1904　水道環境部長通知　2(10)

2　(2)については、魚市場、飲食店等から排出される動植物性残さ及び売れ残った食料品についても、事業活動に伴って生じた一般廃棄物として取り扱われる。

## Ⅳ-4 汚泥

**質問18** 次に掲げる廃棄物は、一般廃棄物と産業廃棄物のどちらに該当するか。
(1) レストラン、給食センター及び旅館に設けられたし尿以外の汚水を処理する施設に堆積する沈殿物
(2) 事業系ビルからの排水とし尿の合併処理を行っている設備から排出される汚泥
(3) かまぼこ、ちくわ、てんぷら等の食料品を製造する過程で生じた残さ物が処理施設に流入して沈殿し、泥状となったもの及び浮遊物（スカム）
(4) 下水管渠、道路側溝等の清掃を行った際発生する泥状物

### 回答
(1) 沈殿物の性状が泥状であれば、産業廃棄物（汚泥）に該当する。
(2) 一般廃棄物である。
(3) 総体として産業廃棄物（汚泥）に該当する。
(4) 下水管渠、道路側溝等に堆積した泥状物を管理者たる国、地方公共団体等が除去し、排出した場合は、産業廃棄物（汚泥）に該当する。

### 解説
1 (1)について、し尿を含む汚泥については、一般廃棄物となる場合（例、し尿浄化槽に係る汚泥）と、産業廃棄物となる場合（例、下水道から除去した汚泥）がある。
　なお、レストラン等に設けられた汚水を処理する施設に堆積する沈殿物については、し尿が混じっていれば一般廃棄物であり、し尿が混じっていないもので、泥状を呈していれば、産業廃棄物に該当する。
　★関係通知：昭和46.10.25　環整45　環境整備課長通知　第1、5
2 (2)について、合併処理することが予定されている場合には、当該汚泥は一般廃棄物である。
3 (3)について、泥状となったものと浮遊物が区別できず、同一のものと考え

られる場合には、総体として汚泥ととらえることができる。

★関係通知：昭和56.7.14　環産25　産業廃棄物対策室長回答

4　(4)について、下水管渠に堆積した泥状物は、下水道事業という事業活動に伴って発生したものであるので、産業廃棄物の汚泥となる。

　ただし、道路側溝等の開渠部に堆積する廃棄物は、それぞれの性状に応じて判断することになり、例えば、道路側溝等の開渠にしばしば堆積する紙、木は一般廃棄物に該当する。

---

**質問19**　発電所の定期検査等において、取放水路等の清掃を実施する際に、貝や海草、水路に堆積した様々な沈殿物等が混合して泥状を呈したものが排出される。

　このような泥状物について、これに含まれる貝や海草を容易に除去し得ないような場合、総体として産業廃棄物である汚泥と解してよいか。

---

**回答**

貴見のとおり解して差し支えない。

★関係通知：平成16.3.1　環廃産発040301009　産業廃棄物課長回答

## Ⅳ－5　がれき類

**質問20**　不要物として除去された鉄道の線路に敷いてあった砂利は、一般廃棄物と産業廃棄物のどちらに該当するか。

**回答**

産業廃棄物に該当する。

**解説**

不要物として除去された鉄道の線路に敷いてあった砂利は、令第2条第9号の工作物の除去に伴って生じたコンクリートの破片その他これに類する不要物（がれき類）に該当する。

## Ⅳ-6　燃え殻（焼却灰）

**質問21**　次に掲げる廃棄物は、一般廃棄物と産業廃棄物のどちらに該当するか。
(1)　野犬狩りの後、保健所がその死体を焼却した際の残灰
(2)　市が設置するごみ焼却施設において、ごみ焼却に伴い生ずる熱エネルギーを回収し、発電等を行っている。その際のごみの燃え殻

※※ 回答 ※※
(1)　一般廃棄物である。
(2)　一般廃棄物である。

※※ 解説 ※※
　野犬の死体は一般廃棄物であり、(1)、(2)とも一般廃棄物を燃やした後に生ずる焼却灰は一般廃棄物である。

## Ⅳ-7　動物のふん尿

**質問22**　次に掲げる廃棄物は、一般廃棄物と産業廃棄物のどちらに該当するか。
(1)　実験用動物飼育業等の畜産類似業から排出される動物ふん尿
(2)　農家が副業として豚を飼養する場合に排出される豚のふん尿
(3)　と畜場から排出される廃棄物のうち
　①　汚水処理施設に堆積する泥状物
　②　動物のふん尿

※※ 回答 ※※
(1)　産業廃棄物（家畜ふん尿）に該当する。
(2)　産業廃棄物（家畜ふん尿）に該当する。
(3)　①は、産業廃棄物（汚泥）に該当する。
　　②は、一般廃棄物に該当する。

※※ 解説 ※※

1　(1)について、畜産類似業には、実験用動物飼育業、愛がん用動物飼育業、昆虫飼育業等が含まれる。

　　なお、家畜ふん尿を動物用のふん尿処理施設で処理した後に生じる泥状物は、汚泥に該当する。

　★関係通知：昭和46.10.25　環整45　環境整備課長通知　別紙(17)
　　　　　　　平成12.12.28　生衛発1904　水道環境部長通知　2(16)

2　(2)について、農家が自家用以外の目的で家畜を飼養する場合には、事業内容が畜産農業に該当する。

　　なお、自家用以外の目的で家畜を飼養する場合であっても、飼養頭数が少なく、社会通念上自家用とみなし得る場合には、排出されたふん尿は、産業廃棄物には該当しない。

3　(3)の①について、と畜場の汚水処理施設に堆積する泥状物は、と畜場における事業活動に伴って生じた廃棄物であるので、産業廃棄物の汚泥に該当する。

　　(3)の②について、動物のふん尿については、畜産農業に係るものだけが産業廃棄物に該当することから、と畜場から排出される動物のふん尿は一般廃棄物に該当する。

## V　産業廃棄物の種類

───── 法令上の規定 ─────

法第2条（定義）
4　この法律において「産業廃棄物」とは、次に掲げる廃棄物をいう。
　(1)　事業活動に伴って生じた廃棄物のうち、燃え殻、汚泥、廃油、廃酸、廃アルカリ、廃プラスチック類その他政令で定める廃棄物

令第2条（産業廃棄物）
　　法第2条第4項第1号の政令で定める廃棄物は、次のとおりとする。
　(1)　紙くず（建設業に係るもの（工作物の新築、改築又は除去に伴って生じたものに限る。）、パルプ、紙又は紙加工品の製造業、新聞業（新聞巻取紙を使用して印刷発行を行うものに限る。）、出版業（印刷出版を行う

ものに限る。)、製本業及び印刷物加工業に係るもの並びにポリ塩化ビフェニルが塗布され、又は染み込んだものに限る。)
(2) 木くず（建設業に係るもの（工作物の新築、改築又は除去に伴って生じたものに限る。)、木材又は木製品の製造業（家具の製造業を含む。)、パルプ製造業、輸入木材の卸売業及び物品賃貸業に係るもの、貨物の流通のために使用したパレット（パレットへの貨物の積付けのために使用したこん包用の木材を含む。) に係るもの並びにポリ塩化ビフェニルが染み込んだものに限る。)
(3) 繊維くず（建設業に係るもの（工作物の新築、改築又は除去に伴って生じたものに限る。)、繊維工業（衣服その他の繊維製品製造業を除く。)に係るもの及びポリ塩化ビフェニルが染み込んだものに限る。)
(4) 食料品製造業、医薬品製造業又は香料製造業において原料として使用した動物又は植物に係る固形状の不要物
(4)の2　と畜場法（昭和28年法律第114号）第3条第2項に規定すると畜場においてとさつし、又は解体した同条第1項に規定する獣畜及び食鳥処理の事業の規制及び食鳥検査に関する法律（平成2年法律第70号）第2条第6号に規定する食鳥処理場において食鳥処理をした同条第1号に規定する食鳥に係る固形状の不要物
(5) ゴムくず
(6) 金属くず
(7) ガラスくず、コンクリートくず（(9)以外）及び陶磁器くず
(8) 鉱さい
(9) 工作物の新築、改築又は除去に伴って生じたコンクリートの破片その他これに類する不要物（がれき類）
(10) 動物のふん尿（畜産農業に係るものに限る。)
(11) 動物の死体（畜産農業に係るものに限る。)
(12) 大気汚染防止法第2条第2項に規定するばい煙発生施設又は次に掲げる廃棄物の焼却施設において発生するばいじんであって、集じん施設によって集められたもの

イ　燃え殻（事業活動に伴って生じたものに限る。第 2 条の 4 第 7 号及び第10号、第 3 条第 3 号ヲ並びに別表第 1 を除き、以下同じ。）

ロ　汚泥（事業活動に伴って生じたものに限る。第 2 条の 4 第 5 号ロ(1)、第 8 号及び第11号、第 3 条第 2 号ホ、第 3 号ヘ及び第 4 号イ並びに別表第 1 を除き、以下同じ。）

ハ　廃油（事業活動に伴って生じたものに限る。第24条第 2 号ハ及び別表第 5 を除き、以下同じ。）

ニ　廃酸（事業活動に伴って生じたものに限る。第24条第 2 号ハを除き、以下同じ。）

ホ　廃アルカリ（事業活動に伴って生じたものに限る。第24条第 2 号ハを除き、以下同じ。）

ヘ　廃プラスチック類（事業活動に伴って生じたものに限る。第 2 条の 4 第 5 号ロ(5)を除き、以下同じ。）

ト　前各号に掲げる廃棄物（第 1 号から第 3 号まで及び第 5 号から第 9 号までに掲げる廃棄物にあっては、事業活動に伴って生じたものに限る。）

⒀　燃え殻、汚泥、廃油、廃酸、廃アルカリ、廃プラスチック類、前各号に掲げる廃棄物（第 1 号から第 3 号まで、第 5 号から第 9 号まで及び前号に掲げる廃棄物にあっては、事業活動に伴って生じたものに限る。）又は法第 2 条第 4 項第 2 号に掲げる廃棄物を処分するために処理したものであって、これらの廃棄物に該当しないもの

## Ⅴ-1　燃え殻・ばいじん

　燃え殻とは、電気事業等の事業活動に伴って生ずる石炭殻、灰かす、炉、ボイラー又は煙道清掃から出た物等が代表的なものであり、集じん装置に捕捉されたものは、ばいじんとして令第 2 条第12号に掲げる産業廃棄物として取り扱うものであること。その他熱エネルギー源を物の燃焼に依存している

場合の焼却残灰、炉等の清掃から出た物等についても同様の扱いとするものであること。

ばいじんとは、大気汚染防止法に規定するばい煙発生施設において発生するものであって、集じん施設において捕捉されたものであること。なお、集じん施設の集じん方法は、乾式、湿式のいずれの方法であるかは問わないものであること。

★関係通知：昭和46.10.25　環整45　環境整備課長通知　別紙(1)、(19)

---

**質問23**　次に掲げる廃棄物は、産業廃棄物のどの種類に該当するか。
(1)　事業活動に伴って排出された使用済みの活性炭
(2)　石炭火力発電所から排出される石炭灰

### 回答

(1) 泥状で排出されるものは汚泥に、固形状で排出されるものは燃え殻に該当する。
(2) 集じん施設において捕捉されたものはばいじん、その他の石炭灰は燃え殻に該当する。

### 解説

1　(1)について、使用済みの活生炭が不純物が混在すること等により泥状を呈する場合には汚泥に該当する。汚泥は、有機質の多分に混入した泥状物のみを指すのではなく、有機性及び無機性の泥状物のすべてを含むものである。
2　(2)について、ばいじんは、大気汚染防止法に規定するばい煙発生施設において発生するばいじんであって、集じん施設において捕捉されたものが該当する。

## V－2　汚泥

工場廃水等の処理後に残る泥状のもの、及び各種製造業の製造工程において生ずる泥状のものであって、有機質を多分に混入した泥のみを指すのでは

なく、有機性及び無機性のもののすべてを含むものであること。有機性汚泥の代表的なものとしては、活性汚泥法による処理後の汚泥、パルプ廃液から生ずる汚泥、その他動植物性原料を使用する各種製造業の廃水処理後に生ずる汚泥、ビルピット汚泥等があること。無機性汚泥の代表的なものとしては、赤泥、珪藻土かす、炭酸カルシウムかす、廃白土、浄水場の沈殿池より生ずる汚泥等があること。

ただし、赤泥にあっては、廃アルカリとの混合物として、廃白土にあっては、廃油との混合物として取り扱うものであること。

★関係通知：昭和46.10.25　環整45　環境整備課長通知　別紙(2)

**質問24**　次に掲げる廃棄物は、産業廃棄物のどの種類に該当するか。

(1)　油分を含む泥状物
(2)　コンクリートミキサー車のミキサーから生じる生コンの残りかすであって、不要とされた時点で泥状を呈しているもの
(3)　排煙脱硫石こう、石こうボード製造工程から発生する石こうボードくず
(4)　汚泥の焼却施設において発生するばいじんが湿式集じん施設において捕捉され、水とともに排出され、他の施設から排出された廃水と混合して一括処理した結果、沈殿槽で生じる泥状物
(5)　家畜ふん尿の処理施設において生じた泥状物
(6)　みがき板ガラスの製造工程において発生する湿泥状の廃棄物で、再使用不能の研削剤（硅砂）、研磨剤（酸化セレン）及びガラス成分の一部や石こうを含むスラリー状のものを沈殿池に導き、自然乾燥させたもの（通称おかちん）
(7)　建設工事に伴い基盤材（コンクリート等）を注入するために削岩し取り除いた含水率の非常に高い（含水率95％以上）無注薬汚泥

**回答**

(1)　油分をおおむね5％以上含む泥状物は、汚泥と廃油の混合物として取り扱

うこと。油分を含む泥状物であっても汚泥と廃油の混合物に該当しないものは、汚泥（油分を合む汚泥）として取り扱うこと。

　なお、汚泥と廃油の混合物に該当する泥状物中の油分を抽出、分離等により除去した結果、汚泥と廃油の混合物に該当しなくなった泥状物は、汚泥（油分を含む汚泥）として取り扱うこと。

(2)　汚泥に該当する。

(3)　排煙脱硫石こうは汚泥、石こうボード製造工程から発生する石こうボードくずは、ガラスくず及び陶磁器くずに該当する。

(4)　汚泥に該当する。

(5)　汚泥に該当する。

(6)　汚泥に該当する。ただし、セレン又はセレン化合物含有濃度が、0.3mg/ℓ以上であれば、特別管理産業廃棄物に該当する。

(7)　汚泥に該当する。

※※ 解説 ※※

1　(1)について、事業活動に伴って生じた廃棄物のうち、20種類のものが産業廃棄物とされている。

　現実にこれらの産業廃棄物が混合されて排出される場合が多く、その場合には混合物として、取り扱うことになる。例えば、油分が5％以上含まれる汚泥は、汚泥と廃油の混合物として取り扱われる。

　★関係通知：昭和46.10.25　環整45　環境整備課長通知　第1、3

　　　　　　昭和51.11.18　環水企181・産業17　環境庁水質保全局企画課長・厚生省水道環境部参事官連名通知「油分を含むでい状物の取扱いについて」

2　(2)について、産業廃棄物の種類は、不要となった時点の性状で判断することになる。生コンの残りかすは、短時間のうちに固形状となるが、不要となった時点で泥状を呈しているならば汚泥である。

　なお、生コンが固まった後に不要物となった場合（例えば、コンクリート枠からはみ出し固まった生コンなど）は、ガラスくず及び陶磁器くずに該当する。

3 (3)について、排煙脱硫石こうは、通常泥状を呈しているものであり、汚泥に該当する。
4 (4)について、集じん施設において捕捉されたばいじんであれば、その集じん方法が、乾式、湿式のいずれの方法であるかにかかわらず、ばいじんに該当する。

したがって、他の廃水と混合せず、単独で処理するのであれば当該泥状物はばいじんに該当する。

★関係通知：昭和46.10.25　環整45　環境整備課長通知　別紙(19)
5 (5)について、産業廃棄物を処理したことにより生じたものについては、処理前の産業廃棄物とは関係なく、産業廃棄物の処理という事業活動により生じた廃棄物として、その性状によりどの廃棄物に該当するか判断することになる。
6 (6)について、一部にガラス成分等を含むものであっても、事業活動に伴い発生する泥状の廃棄物は全体として汚泥に該当する。
7 (7)について、汚泥には、事業活動によって排出される有機性及び無機性のものがすべてに含まれる。

地下鉄の工事現場から排出される含水率が高く、粒子の微細なでい状のものにあっては、無機性の汚泥として取り扱う。

★関係通知：平成12.12.28　生衛1904　水道環境部長通知　2(15)

## V－3　廃プラスチック類

合成樹脂くず、合成繊維くず、合成ゴムくず等合成高分子系化合物に係る固形状及び液状のすべての廃プラスチック類を含むものであること。

★関係通知：昭和46.10.25　環整45　環境整備課長通知　別紙(6)

質問25　次に掲げる廃棄物は、産業廃棄物のどの種類に該当するか。
(1)　事業活動に伴って排出される次の廃合成塗料
　①　液状の廃合成塗料

② 塗料以外の不純物が混合して、泥状となっている廃合成塗料
　　③ 溶剤が揮発し、固形状(粉状のものを含む。)となっている廃合成塗料
(2) 事業活動に伴って排出された使用済みのイオン交換樹脂
(3) 事業活動に伴って排出された合成ゴム製品である自動車専用のタイヤ
(4) 事業活動に伴って排出される廃接着剤

❀❀ 回答 ❀❀
(1) ① 廃油と廃プラスチック類の混合物に該当する。
　　② 汚泥に該当する。
　　③ 廃プラスチック類に該当する。
(2) 廃プラスチック類に該当する。
(3) 廃プラスチック類に該当する。
(4) 固型状の場合は廃プラスチック類、液状の場合は廃油と廃プラスチック類の混合物に該当する。

❀❀ 解説 ❀❀
1　(1)の②については、油分を５％以上含んでいる場合には、汚泥と廃油の混合物に該当する。
　★関係通知：昭和51.11.18　環水企181・環産17　環境庁水質保全局企画課長・厚生省水道環境部参事官連名通知「油分を含むでい状物の取扱いについて」
2　(2)について、廃プラスチック類には、高分子系化合物に係る固形状及び液状のすべての廃棄物が含まれる。
3　(3)について、自家用車のオーナー等の個人が廃棄する場合は一般廃棄物となる。
4　(4)について、性状により判断する。

## V－4　廃油

鉱物性油及び動植物性油脂に係るすべての廃油を含むものとし、潤滑油系、

第1章　廃棄物の定義・廃棄物の範囲　*61*

絶縁油系、洗浄油系及び切削油系の廃油類、廃溶剤類及びタールピッチ類（常温において固形状を呈するものに限る。）があること。硫酸ピッチ及びタンクスラッジは、それぞれ廃油と廃酸の混合物及び廃油と汚泥の混合物として取り扱うものであること。

★関係通知：昭和46.10.25　環整45　環境整備課長通知　別紙(3)

**質問26**　パラクロロベンジルクロライド製造工程からの廃棄される蒸留残さ（黄褐色タール状）は、産業廃棄物のどの種類に該当するか。

*回答*

廃油に該当する。

★関係通知：昭和48.10.24　環整82　環境整備課長回答

## Ⅴ－5　廃酸又は廃アルカリ

廃酸には、廃硫酸、廃塩酸、各種の有機廃酸類をはじめ酸性の廃液のすべてを含むものであること。したがって、アルコール又は食用のアミノ酸製造に伴って生じた発酵廃液は廃酸に該当するものであること。廃酸は、液状の産業廃棄物であるが、水素イオン濃度指数を5.8以上8.6以下に調整した場合に生ずる沈殿物は汚泥と同様に取り扱って差し支えないものであること。

★関係通知：昭和46.10.25　環整45　環境整備課長通知　別紙(4)

**質問27**　次に掲げる廃棄物は、産業廃棄物のどの種類に該当するか。
(1)　病院において解剖用のホルマリンの交換に伴い排出される酸性を呈する廃ホルマリン
(2)　事業活動に伴って排出される泡沫消化剤かす
(3)　動物の解体等に伴い発生する血液等の液体の不要物

*回答*

(1)　廃酸に該当する。

(2)(3)　廃酸又は廃アルカリに該当する。

※※ 解説 ※※

　(1)について、廃酸の水素イオン濃度指数を調整した場合に生ずる沈殿物は、汚泥として取り扱って差し支えない。

　(3)★関係通知：平成13.10.17　環産廃445　産業廃棄物課長通知　1

> 質問28　廃自動車の解体作業に伴って排出される廃棄物たる不凍液は、産業廃棄物のうち何に該当するか。

※※ 回答 ※※

廃アルカリに該当する。

※※ 解説 ※※

1　自動車のラジエーターで使用される不凍液には、エチレングリコールが含まれている。使用に際しては原液ではなく水で希釈して使用される（エチレングリコールを30～50％程度含有。寒冷地ほど高濃度となる。）。
2　不凍液のpHは、弱アルカリ性を呈している。

　★関係通知：平成14.6.17　環廃産353　産業廃棄物課長通知

## Ⅴ－6　ガラスくず・コンクリートくず（がれき類以外）・陶磁器くず

> 　ガラスくず・陶磁器くずには、ガラスくず、耐火レンガくず、陶磁器くず等が含まれるものであること。
>
> 　★関係通知：昭和46.10.25　環整45　環境整備課長通知　別紙(14)

> 質問29　次に掲げる廃棄物は、産業廃棄物のどの種類に該当するか。
> 　(1)　眼鏡製造業において、ガラスの荒削工程から排出されるガラス粉状のもの、荒削後の研磨工程（金鋼砂を使用）の排水処理施設から排出される泥状物
> 　(2)　コンクリート二次製品製造業者の排出した不良品のU字溝

(3)　事業活動に伴って排出される砥石かす
　　(4)　コンクリートミキサー洗浄に伴って生ずる汚泥を脱水・固化等の処理を行ったもの

### 回答

(1)　ガラス粉末状のものは、ガラスくず及び陶磁器くずに該当する。
　　排水処理施設から排出される泥状物は、汚泥に該当する。
(2)　コンクリートくず（がれき類以外のもの）に該当する。
(3)　ガラスくず及び陶磁器くずに該当する。
(4)　ガラスくず及び陶磁器くずに該当する。

### 解説

1　(1)について、工場廃水等の処理後に残る泥状のもの、及び各種製造業の製造工程において生ずる泥状のものは汚泥に該当する。
2　(2)について、コンクリート二次製品を製造する際に不要となった泥状物は、汚泥に該当する。
3　(4)については、十分な養生が行われ、強度（一軸圧縮強度80kgf/cm程度）があり、セメント、水、骨材及びコンクリート用混和剤のみにより構成され、これ以外の物が混入されていないことが必要である。

## V－7　金属くず・鉱さい

　金属くずとは、鉄鋼又は非鉄金属の研磨くず及び切削くず等が含まれるものであること。
　鉱さいとは、高炉、平炉等の残さい、キューポラのノロ、ボタ、不良鉱石、不良石炭、粉炭かす等が含まれるものであること。
　★関係通知：昭和46.10.25　環整45　環境整備課長通知　別紙(13)、(15)

**質問30**　次に掲げる廃棄物は、産業廃棄物のどの種類に該当するか。
　　(1)　金属の研磨工程から排出される研磨かす

(2) 銑鉄鋳物製造業から排出される鋳物又は砂（通称いもの砂）

❀❀ 回答 ❀❀
(1) 金属くずに該当する。
(2) 鉱さいに該当する。

❀❀ 解説 ❀❀
1 (1)について、泥状を呈し、金属としてとらえることが困難な場合には汚泥に該当する。
2 (2)について、鋳物製造工程から排出される鋳物や砂は、鉱さいに該当する。

## V－8　がれき類・13号廃棄物

がれき類とは、工作物の新築、改築又は除去に伴って生じたコンクリートの破片、その他各種の廃材の混合物を含むものであって、もっぱら土地造成の目的となる土砂に準じた物を除くものであること。ただし、地下鉄の工事現場から排出される含水率が高く、粒子の微細な泥状のものにあっては、無機性の汚泥として取り扱うものであること。

★関係通知：平成12.12.28　生衛1904　水道環境部長通知　2⒃

**質問31**　次に掲げる廃棄物は、産業廃棄物のどの種類に該当するか。
(1) 炉の補修工事に伴って生じた不要なレンガくず
(2) 事業活動に伴って排出されるコンクリート固型化物
(3) 粒度調整等の中間処理により付加価値を高めた後、有償売却できなくなり、他人に不要物として処分料金を支払って処分を委託したがれき類（コンクリート破片）

❀❀ 回答 ❀❀
(1) がれき類に該当する。
(2) 他の19種類の産業廃棄物を処理するためにコンクリート固型化し、他の産業廃棄物に該当しない場合は、令第2条第13号の産業廃棄物に該当する。

(3) 産業廃棄物（がれき類）に該当する。

💮💮 解説 💮💮

1 (1)について、レンガくずは、工作物の除去に伴って生じたものであるので、がれき類に該当する。

　なお、レンガの製造工程で発生するレンガくず等、工作物を構成しないレンガくずが廃棄物となる場合には、ガラスくず及び陶磁器くずに該当する。

2 (2)について、汚泥のコンクリート固型化物は、令第2条第13号の産業廃棄物に該当する。なお、アスベスト廃棄物をコンクリート固化したものについては、当該アスベスト廃棄物（例えば、吹付けアスベストを除去したもの）が特別管理産業廃棄物であり、その処分のために処理した物であるので、特別管理産業廃棄物（廃石綿等）として取り扱う。また、アスベスト廃棄物の特別管理産業廃棄物としての性状をなくす方法として、溶融があり、溶融したものは、普通の産業廃棄物の処理が可能である。

3 (3)について、有価物であっても不要物として取り扱われることになった場合には、その時点で判断することになり、この場合は産業廃棄物に該当することになる。

---

**質問32** 次に掲げる廃棄物は、産業廃棄物のどの種類に該当するか。

(1) 工事に使用するアスファルトやコンクリートの強度試験等を工事現場で実施した際に供試体とされたものが廃棄物となったもの

(2) コンクリート製品のうち工事現場で余分となったため不要となったり、現場に搬送途中に破損等していたために工事現場において廃棄物となったもの

(3) 工事に使用するコンクリート製品（テトラポット等の消波ブロック等）を工事現場で事業者が自ら製造するなどした際に生じるコンクリート系の廃棄物

---

💮💮 回答 💮💮

いずれもがれき類に該当する。

※※ 解説 ※※
★関係通知：平成14.1.17　環廃産29　廃棄物対策・産業廃棄物課長連名通知

## Ⅴ－9　その他混合物

> 質問33　次に掲げる廃棄物は、産業廃棄物のどの種類に該当するか。
> ⑴　地盤改良工事で排出されるアルカリ性を呈する地盤改良剤かす
> ⑵　電線メーカー及び電力会社等の事業活動に伴って生じた
> 　①　廃被覆電線（合成樹脂で被覆されたもの）
> 　②　廃トランス（絶縁油の入った金属容器に被覆電線及びガイシが付着したもの）

※※ 回答 ※※
⑴　汚泥と廃アルカリの混合物に該当する。
⑵　①は、金属くず及び廃プラスチック類に該当する。
　　②は、金属くず、廃油、廃プラスチック類並びにガラスくず及び陶磁器くずに該当する。

※※ 解説 ※※
1　⑴について、廃アルカリの水素イオン濃度指数を調整した場合に生ずる沈殿物は、汚泥として取り扱って差し支えない。
2　⑵について、原則として、廃被覆電線、廃トランスそれぞれの構成物が、いかなる種類の産業廃棄物に該当するか検討することになる。
　ただし、構成物ではあっても全体をみて、極めて少量である場合には、特に独立した特定の種類の産業廃棄物ととらえる必要はない。
★関係通知：昭和51.2.17　環整108　環境整備課長回答

## Ⅵ　特別管理廃棄物

一般廃棄物及び産業廃棄物のうち、爆発性、毒性、感染性その他人の健康

又は生活環境に係る被害が生ずるおそれがある性状を有するものをそれぞれ特別管理一般廃棄物、特別管理産業廃棄物として区分し、処理方法などを別に定めている。

## Ⅵ－1　特別管理一般廃棄物

―――――法令上の規定―――――

法第2条（定義）
3　この法律において「特別管理一般廃棄物」とは、一般廃棄物のうち、爆発性、毒性、感染性その他の人の健康又は生活環境に係る被害が生ずるおそれがある性状を有するものとして政令で定めるものをいう。

令第1条（特別管理一般廃棄物）
　法第2条第3項（ダイオキシン類対策特別措置法（ダイオキシン法）第24条第2項の規定により読み替えて適用する場合を含む。）の政令で定める一般廃棄物は、次のとおりとする。
(1)　次に掲げるもの（国内における日常生活に伴って生じたものに限る。）に含まれるポリ塩化ビフェニルを使用する部品
　　イ　廃エアコンディショナー
　　ロ　廃テレビジョン受信機
　　ハ　廃電子レンジ
(1の2)　廃水銀（水銀使用製品が一般廃棄物となったもの）
(1の3)　(1の2)の廃水銀を処分するために処理したもの（省令の基準に適合しないもの）
(2)　令第5条第1項のごみ処理施設からのばいじん（ばいじんと焼却灰を分離して排出、貯留できる施設に限る。）において生じたばいじん（集じん施設で集められたものに限る。）
(3)　(2)のばいじんを処分するために処理したもの（省令の基準に適合しないもの）
(4)　廃棄物焼却炉である特定施設（ダイオキシン法）からのばいじん、燃

え殻（ダイオキシン類含有量基準を超えるもの。(5)〜(7)も同じ。）
(5) (4)のばいじん、燃え殻を処分するために処理したもの
(6) 廃棄物焼却炉である特定施設の廃ガス洗浄施設からの汚泥
(7) (6)の汚泥を処分するために処理したもの
(8) 病院、診療所、衛生検査所、老人保健施設、助産所、獣医療法の診療施設、国又は地方公共団体の試験研究機関（医学、薬学、獣医学に限る。）、大学及び付属試験研究機関（医学、薬学、獣医学に限る。）、学術研究又は製品の製造もしくは技術の改良、考案、発明の試験研究所（医学、薬学、獣医学に限る。）から生ずる感染性一般廃棄物

**質問34** 電気集じん機によりばいじんを除去した後の排ガスから、排ガス洗浄装置により、塩化水素を除去しているが、この装置の処理排水に含まれる塩類は、特管一般廃棄物に該当するか。

### 回答

該当しない。

### 解説

集じん施設で集められたものが対象となる。

また、ダイオキシン法に基づく廃棄物焼却炉から排出されるもので、排ガス洗浄装置からの排出汚泥は特別管理廃棄物となる可能性があることに注意を要する。

## VI−2　特別管理産業廃棄物

―――― 法令上の規定 ――――

法第2条（定義）
5　この法律において「特別管理産業廃棄物」とは、産業廃棄物のうち、爆発性、毒性、感染性その他人の健康又は生活環境に係る被害が生ずるおそれがある性状を有するものとして政令で定めるものをいう。

令第2条の4（特別管理産業廃棄物）
　法第2条第5項の政令で定める産業廃棄物は、次のとおりとする。

⑴　廃油（揮発油類、灯油類及び軽油類）
⑵　廃酸（著しい腐食性を有する水素イオン濃度指数が2.0以下のもの）
⑶　廃アルカリ（著しい腐食性を有する水素イオン濃度指数が12.5以上のもの）
⑷　病院、診療所、衛生検査所、老人保健施設、助産所、獣医療法の診療施設、国又は地方公共団体の試験研究機関（医学、薬学、獣医学に限る。）、大学及び付属試験研究機関（医学、薬学、獣医学に限る。）、学術研究又は製品の製造若しくは技術の改良、考案、発明の試験研究所（医学、薬学、獣医学に限る。）から生ずる感染性産業廃棄物
⑸　特定有害産業廃棄物
　　イ　廃ポリ塩化ビフェニル（廃ポリ塩化ビフェニル及びポリ塩化ビフェニルを含む廃油）
　　ロ　ポリ塩化ビフェニル汚染物（事業活動に伴った汚泥、紙くず、木くず、繊維くず、廃プラスチック類、金属くず、陶磁器くず及びがれき類でポリ塩化ビフェニルが、塗布、付着、封入等されたもの）
　　ハ　ポリ塩化ビフェニル処理物（環境省令で定める基準に適合しないものに限る。）
　　ニ　廃水銀及び廃水銀化合物[※]、水銀等が含まれている物と水銀使用製品産業廃棄物から回収した水銀等及び当該廃水銀を処分するために処理したもの（環境省令で定める基準に適合しないものに限る。）
　　ホ　指定下水汚泥（環境省令で定める基準に適合しないものに限る。）
　　ヘ　鉱さい（環境省令で定める基準に適合しないものに限る。）
　　ト　廃石綿（飛散性のおそれのあるものとして環境省令で定めるもの）
　　チ　ばいじん（水銀含有で、大気汚染防止法ばい煙発生施設[※]で発生、水銀が基準に適合しないもの）、（1,4－ジオキサン含有で、産業廃棄物の焼却施設で発生、1,4－ジオキサン基準に適合しないもの）
　　リ　ばいじん又は燃え殻（廃プラスチック等産業廃棄物焼却施設、大気汚染防止法ばい煙発生施設[※]で発生、環境省で定める基準に適合しないものに限る。）
　　ヌ　廃油（廃溶剤）（水質汚濁防止法特定施設[※]で発生、揮発性物質で、環境省で定める基準に適合しないものに限る。）

ル　汚泥、廃酸、廃アルカリ（水質汚濁防止法特定施設※のある事業場で発生、環境省で定める基準に適合しないものに限る。）
(6)　輸入廃棄物の焼却施設から発生するばいじんで環境省で定める基準に適合しないもの
(7)(8)　ダイオキシン法の廃棄物焼却炉で輸入廃棄物の焼却に伴って生じたばいじん及び燃え殻、又は汚泥でダイオキシン含有基準に適合しないもの
(9)〜(11)　輸入廃棄物でばいじんであるもの、及び燃え殻又は汚泥でダイオキシン類を含むもの（基準に適合しないもの）
　　((5)〜(8)の処理物で、各廃棄物に該当する有害物質が、物質ごとに基準に適合しないもの)
※　施設限定あり

**質問35**　次の廃棄物は、特別管理産業廃棄物に該当するか。
(1)　事業活動に伴って排出される揮発油、灯油若しくは軽油のうち廃油であるもの、又はこれらの油を使用することに伴って排出される廃油であって、引火点70℃未満のもの
(2)　焼玉及びディーゼル機関燃料などに用いられている重油が廃棄物となったもの
(3)　揮発廃油を5％以上含む汚泥
(4)　事業活動に伴って排出されるポリ塩化ビフェニル絶縁油を含む電気トランスと当該トランスから絶縁油を取り出したもの
(5)　事業活動に伴って排出される石綿を含む非飛散性のスレート

❀❀ 回答 ❀❀
(1)　特別管理産業廃棄物に該当する。
(2)　特別管理産業廃棄物に該当しない。
(3)　特別管理産業廃棄物の廃油と産業廃棄物の汚泥の混合物
(4)　特別管理産業廃棄物に該当する。
(5)　特別管理産業廃棄物に該当しない。

### 解説

　特別管理産業廃棄物は、その性状による人の健康又は生活環境に及ぼす被害の防止を基本として規制強化されたもので、廃油なども火災予防の観点から規制されているのではなく、埋め立てる場合焼却を経なければならないので、焼却処理の技術上の観点から定められているものである。

　(5)について、石綿を0.1％（重量）を超えて含有するものは、石綿含有産業廃棄物となり、特別管理産業廃棄物ではないが、処理に当たっては破砕をしない。他の廃棄物と混合しないなどの措置が必要となる。

---

**質問36**　次に掲げる廃棄物は、産業廃棄物のどの種類に該当するか。
　　クリーニング業の洗濯工程から排出されるクリーニング汚泥（パークレンと繊毛かすの混合したもの）

---

### 回答

　性状により、汚泥、廃油又はそれらの混合物で、特別管理産業廃棄物に該当する。

### 解説

　テトラクロロエチレン等の化学的溶剤による地下水汚染が問題となり、これに関連し、クリーニング業から排出される使用済みの溶剤の適正処理が問題となった。

　クリーニング業から排出されるテトラクロロエチレン又は1、1、1－トリクロロエタンを含む蒸留残さ物、使用済みのフィルターパウダー等は、その性状に応じ、産業廃棄物の汚泥、廃油又はそれらの混合物に該当する。

　テトラクロロエチレンを0.1mg/ℓ以上含む汚泥又は廃油は特別管理産業廃棄物である。

　★関係通知：昭和62.6.16　衛産15　産業廃棄物対策室長通知　「クリーニング業から発生する産業廃棄物の適正処理の推進について」

---

**質問37**　血液が付着したものは、すべて特別管理廃棄物としての感染性廃棄物に当たるか。

◈◈ 回答 ◈◈

　十分な安全性を確保する観点から一応感染性廃棄物として取り扱うが、専門的知識を有する医師等によって、感染の危険性がほとんどないと判断されたときは、感染性廃棄物とする必要はない。

◈◈ 解説 ◈◈

　血液等について、血液そのものに感染性のおそれがあると国際的に定着していること、病院等においては、血液等は不衛生なものとして取り扱われていること、また、血液等が廃棄物として不適正に処理された場合、住民に不安を与えたり、鋭利なものに付着することによって人に未知のウイルスも含めて感染性を生じるおそれは否定できないことから、すべて感染性廃棄物とする。

　しかし、専門的知識を有する医師等によって、感染の危険性がほとんどないと判断されたときは、感染性廃棄物とする必要はない。

　★関係通知：平成4．8．13　衛環234　水道環境部長通知「感染性廃棄物の適正処理の推進について」

　　　　　　平成11．6．25　生衛956　「廃棄物処理法に基づく感染性処理マニュアル」

> **質問38**　特別管理産業廃棄物に定める「廃油」は、消防法に定める規制と同趣旨の二重の規制ではないか。

◈◈ 回答 ◈◈

　特別管理産業廃棄物である「廃油（燃焼しにくいものとして環境省令で定めるものを除く。）」とは、廃油のうち、焼却を経なければ埋め立てることができないものを焼却処理の技術的観点から定めたものであり、当該廃油に対する規制は、火災予防の観点から行われるものでないこと。なお、廃油に係る火災予防の観点からの規制は、従来どおり消防法により行われること。

　★関係通知：平成4．8．13　衛環233　環境整備課長通知　第2　4(1)

# 第2章 排出事業者

　ＰＰＰの原則に基づき、排出事業者に廃棄物処理の責務がかかっており、また排出事業者とは営利事業を行うもののみならず、国、地方公共団体であっても事業者に該当する。また、廃棄物の排出に関し様々な形態があるので、排出事業者の認識が重要となる。

―――――― 法令上の規定 ――――――

法第3条（事業者の責務）
　事業者は、その事業活動に伴って生じた廃棄物を自らの責任において適正に処理しなければならない。

法第6条の2（市町村の処理等）
6　事業者は、一般廃棄物処理計画に従ってその一般廃棄物の運搬又は処分を他人に委託する場合その他その一般廃棄物の運搬又は処分を他人に委託する場合には、その運搬については第7条第12項に規定する一般廃棄物収集運搬業者その他環境省令で定める者に、その処分については同項に規定する一般廃棄物処分業者その他環境省令で定める者にそれぞれ委託しなければならない。

法第11条（事業者及び地方公共団体の処理）
　事業者は、その産業廃棄物を自ら処理しなければならない。

## Ⅰ　排出事業者の決定

**質問39**　建設工事に伴い生ずる廃棄物の処理に関する排出事業者に係る規定は誰に適用されるか。

❀❀ 回答 ❀❀

元請業者を事業者とする。

❀❀ 解説 ❀❀

建設系廃棄物については、元請業者から請け負って解体工事等の個別の工事の作業を行っている一次下請業者、二次下請け業者等（下請負人）ではなく、当該工事の全体を掌握し総括的に指揮監督・管理している元請業者が、排出事業者として当該工事から生ずる廃棄物について処理責任を負う。

なお、建設工事とは、土木建築に関する工事であって、広く建築物その他の工作物の全部又は一部の新築、改築又は除去を含む概念である。

★関係通知：平成22.5.20　事務連絡　廃棄物対策課、産業廃棄物課通知

> **質問40**　少量の一定の廃棄物の運搬を元請業者と下請負人が請負契約で定めるところにより行う場合は、処理業の許可が必要か、自ら運搬か。

❀❀ 回答 ❀❀

元請業者からの委託ではなく下請負人自らの運搬である。

❀❀ 解説 ❀❀

少量の一定の廃棄物の運搬について、処理基準を遵守した上で自ら運搬（運搬に当たって保管を除く。）することを例外的に許容したものである。

下請負人が排出事業者と見なされるのは、法第21条の3第3項の規定により、運搬を行う場合のみである。すなわち、下請負人が自ら廃棄物の運搬を行う旨を含む請負契約が書面で確認できない場合は下請負人は運搬を行うに当たり許可が必要となり、この規定に基づき運搬を行えることにならない。また、当該廃棄物が生じた建設工事の下請負人以外の者が運搬を行う場合には、元請業者が排出事業者となる。

★関係通知：平成22.5.20　廃棄物対策課、産業廃棄物課事務連絡

> **質問41**　廃止された最終処分場の掘削物の排出者
> 次のような廃棄物の排出事業者は、誰であるか。
> 最終処分場が廃止された後に当該土地で掘削工事が行われる場合、当該

工事に伴って生ずる廃棄物

※※ 回答 ※※

当該工事を行う者である。

※※ 解説 ※※

1　廃止後の最終処分場は、廃棄物の処分が終了した状態であるので、廃止後の最終処分場の掘削工事により排出される廃棄物は、当該掘削工事によって排出される廃棄物となる。
2　また、工事等によって排出される廃棄物の排出事業者は、当該工事の元請業者である。
3　なお、掘り出されたものはその性状で判断し、処理することとなる。
4　廃止された処分場は、指定区域として位置付けられれば土地の掘削等で形質変更する場合、都道府県知事に届出が義務付けられている。

質問42　建設工事現場から排出する掘削物の排出者
　次のような廃棄物の排出事業者は、誰であるか。
　建設業者Aが建設工事に伴って生じさせた産業廃棄物X及び事業者Bが建設工事以前に発生させていた産業廃棄物Y（XとYは同じ建設工事現場から排出されたものとする。）

※※ 回答 ※※

XについてはA、YについてはBである。

※※ 解説 ※※

1　建設工事に伴って生ずる廃棄物には、建設工事を行う以前から発生していた産業廃棄物は含まれない。
2　建設工事以前に発生させていた産業廃棄物は元の事業者が処理責任を負うこととなり、建設業者が処理する場合は処理業の許可がなければ無許可営業となる。

> **質問43** 業種の判断
> 　　令第2条に掲げる産業廃棄物には業種の限定されているものがあるが、一つの事業場が主たる事業活動Aの一環として把握することが困難な事業活動Bを行っている場合、業種の判断はどのようにすればよいか。

※※ 回答 ※※

一つの事業所であっても、2以上の事業活動を行っている場合があり、事業活動Bの工程から排出される廃棄物の該当業種は、Aの属する業種ではなく、Bの属する業種である。

※※ 解説 ※※

1　産業廃棄物は、法第2条第4項及び令第2条により20種類のものが規定されているが、紙くず、木くず、繊維くず、動植物性残さ、動物性固形物、動物のふん尿、動物の死体の7種類の廃棄物については、一定の業種に係るものだけが産業廃棄物となる。

2　産業廃棄物は、事業活動に伴って生ずる廃棄物であり、事業活動というのは反復継続して行われるものであるから、排出源において単一の産業廃棄物としてとらえられる場合が比較的多いものであるが、産業廃棄物が幾つか混合した状態で排出された場合には、産業廃棄物が複合した形態で排出されたものとみなされる。

　なお、定義の不明な事業活動に伴って生ずる廃棄物については、排出源、排出されるに至る過程、排出された時点での物の性状等で判断する。

> **質問44** 建物解体時における残置物の取扱い
> 　　解体を予定している建物中に残置された廃棄物処理の責任は誰にあるか。

※※ 回答 ※※

当該建築物の所有者等である。

※※ 解説 ※※

1　建築物の解体に伴い生じた廃棄物（以下「解体物」という。）については、その処理責任は当該解体工事の発注者から直接当該工事を請け負った元請業

者にある。一方、建築物の解体時に当該建築物の所有者等が残置した廃棄物（以下「残置物」という。）については、その処理責任は当該廃棄物の所有者等にある。このため、建築物の解体を行う際には、解体前に当該建築物の所有者等が残置物を適正に処理する必要がある。
2　解体物は木くず、がれき類等の産業廃棄物である場合が多い一方、残置物については一般家庭が排出する場合は一般廃棄物となり、事業活動を行う者が排出する場合は当該廃棄物の種類、性状により一般廃棄物又は産業廃棄物になる。
3　一般廃棄物に該当する残置物が、いわゆる夜逃げ等により当該建築物の所有者等が所在不明であるなどにより、当該建築物の所有者等による適正な処理が行われない場合には、市町村は関係者に対して適正な処理方法を示すほか、必要に応じて適正な処理を確保する必要がある。

★関係通知：平成30.6.22　環循適発1806224・環循規発1806224　廃棄物適正処理推進課長・廃棄物規制課長通知

**質問45**　電気の供給を業としている電気事業者（電力会社）Aが顧客Bに売電するために必要な設備（変圧器及び引き込み線）をBの敷地内に設置している。

　変圧器はAの費用で設置するものであり、Aの所属に属するが、変圧器を設置するために必要な付帯設備（変圧器を設置する建物及び当該建物に付属しているPCB含有蛍光灯器具）は、Bの所有物である。

　Aは顧客と特段の契約はしていないが、一般的慣行として双方暗黙の了解の下、変圧器の維持管理を行う一環として付帯設備管理も自ら行っており、必要に応じ蛍光灯器具の交換を行っている。

　この場合に、当該建物の付帯設備について、AがBから何ら指示を受けることなく、維持管理を行い得る場合であって、当該廃蛍光灯器具を破棄するか否かの決定を自らの意思を持って交換している場合には、当該維持管理に伴って生ずるPCB含有廃蛍光灯器具の排出事業者はAと解してよろしいか。

❀❀ 回答 ❀❀

貴見のとおり解して差し支えない。

❀❀ 解説 ❀❀

1 電気事業者Aは電気供給業約款において、変圧器等電気供給設備の施設設置場所を無償提供してもらい、付属設備については、顧客Bの所有で、顧客負担としているが、一方、その使用はAが無償で使用できることとしている。
2 また、変圧器室の立ち入りは、通常Aの社員で、Aが使用することで発生する照明器具の補修及び取替、換気扇設備の補修などはA社負担により行っている。
3 AがBから何ら指示を受けることなく、維持管理をし、自らの意志を持って、蛍光灯を交換・破棄することとなるので、排出事業者となり得る。
★関係通知：平成14.1.23　環廃産45　産業廃棄物課長通知

## Ⅱ　管理責任

**質問46**　産廃の保管用地の売買に伴う保管・管理責任
　産業廃棄物を保管している者が、保管用地の売買に際して、産業廃棄物が保管されていること及び産業廃棄物の保管の責任が買主に移転することを明らかにし、保管用地の売買価格を産業廃棄物の保管の費用を見込んで通常の売買価格により低い価格とした場合、産業廃棄物の保管責任は買主に移転するか。

❀❀ 回答 ❀❀

保管責任は買主に移転する。

❀❀ 解説 ❀❀

1 排出事業者は、産業廃棄物が運搬されるまでの間、規則第8条の基準に従って生活環境の保全上支障が生じないように保管しなければならないことになっている。
2 産業廃棄物の保管責任は、保管場所の土地の売買により当然に移転するものではないが、保管責任が買主に移転することを明らかにし、かつ、土地の

売買価格に保管の費用を見込んであるような場合については、買主に移転するものと考えることができる。

## Ⅲ　特別管理産業廃棄物管理責任者

**質問47**　法第12条の2第6項及び同条第9項において、「特別管理産業廃棄物を生ずる事業場（事業者）」と規定されているが、事業場内において生ずる特別管理産業廃棄物を当該事業場内において処分し、当該事業場外に特別管理産業廃棄物を排出しない場合には、特別管理産業廃棄物管理責任者の設置及び帳簿の記載等は不要であると解してよいか。

**回答**
必要である。

**解説**
　特別管理産業廃棄物管理責任者及び帳簿記載等の義務は、事業場における特別管理産業廃棄物の適正な管理を行わせる必要があることから定められた規定である。特別管理産業廃棄物を事業場外で処理するかどうかということが問題ではない。
　したがって、特別管理産業廃棄物管理責任者及び帳簿記載等の義務は、特別管理廃棄物が生じたときから始まる。

**質問48**　特別管理産業廃棄物管理責任者の設置について、法第12条の2第8項中では「当該事業場ごとに」となっているが、石綿建材除去事業を行う場合には「工事現場ごとに」と解してよいか。

**回答**
お見込みのとおり。

**解説**
　石綿建材除去事業において、除去作業の必要な場所は個別であるため、工事現場ごとに対応が必要である。

質問49 特別管理産業廃棄物管理責任者の果たすべき役割は何か。

◎◎ 回答 ◎◎

当該責任者が置かれた事業場における特別管理産業廃棄物に係る管理全般にわたる業務を廃棄物処理法に基づき適正に遂行することである。

◎◎ 解説 ◎◎

特別管理産業廃棄物に係る管理全般にわたる業務とは、例えば、①特別管理産業廃棄物の排出状況を把握し、②処理の計画を立て、③適正な処理を統括することである。

## Ⅳ　その他

質問50 産業廃棄物の処理をその事務として行う市町村に産業廃棄物の処理を委託する場合、法第12条第5項の委託に当たるか。また、委託基準は適用されるか。

◎◎ 回答 ◎◎

産業廃棄物の処理をその事務として行う市町村又は都道府県に産業廃棄物の処理を依頼することは、法第12条第5項の委託に該当する。

当該市町村又は都道府県に産業廃棄物の運搬又は処分を委託する場合には、管理票の交付は不要であるが、委託者には委託基準が適用される。

★関係通知：平成10.11.13　生衛1631　水道環境部長通知

質問51 清算法人は、法に規定する「事業者」に該当するか。

◎◎ 回答 ◎◎

清算法人は、法に規定する「事業者」に該当する。

◎◎ 解説 ◎◎

1　事業者とは、必ずしも営利を目的として事業を営む者とは限らず、公共公益事業等を営む者も含まれるものであって、国又は地方公共団体であっても、これらの事業を営む主体として把握できる場合には、当然に事業者となる。

2　清算法人は、一般社団法人及び一般財団法人に関する法律第207条により規定された清算中の法人であり、清算の目的のためにだけ存続を認められているにすぎないが、清算事務遂行に必要な範囲内で解散前の法人と同一の権利能力を有するので、法に規定する「事業者」に該当する。

**（参考条文）**
一般社団法人及び一般財団法人に関する法律第207条（清算法人の能力）
　　前条の規定により清算をする一般社団法人又は一般財団法人（以下「清算法人」という。）は、清算の目的の範囲内において、清算が結了するまではなお存続するものとみなす。

# 第3章　一般廃棄物の処理

　一般廃棄物の処理は市町村の清掃事業を中心として行われる。清掃事業は住民の日常生活に最も密着した行政サービスであり、市町村の固有事務となっている。一般廃棄物の処理は各市町村の一般廃棄物処理計画に基づき実施され、その形態はそれぞれの市町村に任されている。

## I　一般廃棄物処理計画等

---法令上の規定---

法第6条（一般廃棄物処理計画）
　　市町村は、当該市町村の区域内の一般廃棄物の処理に関する計画（以下「一般廃棄物処理計画」という。）を定めなければならない。
2　一般廃棄物処理計画には、環境省令で定めるところにより、当該市町村の区域内の一般廃棄物の処理に関し、次に掲げる事項を定めるものとする。
　(1)　一般廃棄物の発生量及び処理量の見込み
　(2)　一般廃棄物の排出の抑制のための方策に関する事項
　(3)　分別して収集するものとした一般廃棄物の種類及び分別の区分
　(4)　一般廃棄物の適正な処理及びこれを実施する者に関する基本的事項
　(5)　一般廃棄物の処理施設の整備に関する事項
3　市町村は、その一般廃棄物処理計画を定めるに当たっては、当該市町村の区域内の一般廃棄物の処理に関し関係を有する他の市町村の一般廃棄物処理計画と調和を保つよう努めなければならない。
4　市町村は、一般廃棄物処理計画を定め、又はこれを変更したときは、遅滞なく、これを公表するよう努めなければならない。

**質問52** 処理計画策定に当たっての一般的事項
(1) 事業者等の自家処理量についても、一般廃棄物処理計画において見込む必要があるか。
(2) Ａ市で排出された一般廃棄物が、委託業者又は許可業者によりＡ市の区域外で処分されるとき、処分先の市町村は法第6条第3項の「関係を有する他の市町村」に当たるか。
(3) 法第6条第3項の「関係を有する他の市町村の一般廃棄物処理計画の調和を保つように努める」とはどういうことか。
(4) 都道府県の（産業）廃棄物処理計画については環境審議会その他の合議制の機関の意見聴取が必要とされているが、市町村の一般廃棄物処理計画については環境審議会の意見聴取は行わなくてよいか。

◈◈ 回答 ◈◈
(1) 必要である。
(2) 関係を有する市町村に当たる。
(3) 関係する他の市町村の一般廃棄物処理計画と整合を保つよう努めることである。
(4) 行わなくてよい。

◈◈ 解説 ◈◈
1 (1)について、一般廃棄物処理計画は、当該市町村の一般廃棄物を管理するための基本となる計画であり、市町村が処理する一般廃棄物のみならず、多量排出業者に指示して処理させる一般廃棄物や市町村以外の者が処理する一般廃棄物などについても対象としなければならない。
2 (2)について、「当該市町村の区域内の一般廃棄物の処理に関し関係を有する他の市町村」とは、当該市町村の区域を越えた一般廃棄物の搬入元又は搬出先の市町村をいう。
3 (3)について、市町村は、一般廃棄物処理計画において一般廃棄物の発生量及び処理量の見込みを定めるものとされているが、これには、当該市町村において発生した一般廃棄物のうち他の市町村の区域内で処理するものの量及

び当該市町村の区域内で処理される他の市町村の一般廃棄物の量も含めることとし、このことにより、関係する他の市町村の一般廃棄物処理計画と整合を保つよう努めることである。

　この場合には、当事者である各市町村間で密接に連絡をとり、お互いの一般廃棄物処理計画に齟齬をきたさないようにすることが必要である。

4　(4)について、一般廃棄物処理計画の策定手続きについては定めがなく、各市町村の実情に応じた手続きがとられればよい。

**質問53**　法第5条の7の廃棄物減量等推進審議会について、
(1)　審議内容は。
(2)　どういう構成メンバーとするのか。

**※ 回答 ※**

(1)　一般廃棄物の減量化を推進していくための方策等について審議するほか、減量化のみならず一般廃棄物の適正処理に関しても審議できる。
(2)　住民、学識経験者、事業者、廃棄物処理業者、廃棄物再生事業者等の関係者

**※ 解説 ※**

1　(1)については、既存の審議会を必要に応じて拡充・改組して対応することも差し支えない。
2　(2)については、減量化の推進のためには関係者の幅広い参画が重要であるので、住民、学識経験者、事業者、廃棄物処理業者、廃棄物再生事業者等の関係者の参加を得て、一般廃棄物の減量等に関する住民のコンセンサスを形成する場として積極的に活用していくこと。

　★関係通知：平成4.8.13　衛環232　水道環境部長通知第1　6(2)

## Ⅱ　市町村の処理等

### Ⅱ－1　一般廃棄物の委託

―――法令上の規定―――

法第6条の2（市町村の処理等）
2　市町村が行うべき一般廃棄物（特別管理一般廃棄物を除く。以下この項において同じ。）の収集、運搬及び処分に関する基準（当該基準において海洋を投入処分の場所とすることができる一般廃棄物を定めた場合における当該一般廃棄物にあっては、海洋汚染等及び海上災害の防止に関する法律に基づき定められた場合におけるその投入の場所及び方法に関する基準を除く。以下「一般廃棄物処理基準」という。）並びに市町村が一般廃棄物の収集、運搬又は処分を市町村以外の者に委託する場合の基準は、政令で定める。

令第4条（一般廃棄物の収集、運搬、処分等の委託の基準）
　　法第6条の2第2項の規定による市町村が一般廃棄物の収集、運搬又は処分（再生を含む。）を市町村以外の者に委託する場合の基準は、次のとおりとする。
(1)　受託者が受託業務を遂行するに足りる施設、人員及び財政的基礎を有し、かつ、受託しようとする業務の実施に関し相当の経験を有する者であること。
(2)　受託者が欠格要件のいずれにも該当しない者であること。
(3)　受託者が自ら受託業務を実施する者であること。
(4)　一般廃棄物の収集、運搬、処分又は再生に関する基本的な計画の作成を委託しないこと。
(5)　受託料が受託業務を遂行するに足りる額であること。
(6)　一般廃棄物の収集とこれに係る手数料の徴収を併せて委託するときは、一般廃棄物の収集業務に直接従事する者がその収集に係る手数料を徴収しないようにすること。

(7) 一般廃棄物の処分又は再生を委託するときは、市町村において処分又は再生の場所及び方法を指定すること。

### 質問54
(1) 市町村が「再生事業協同組合」に一般廃棄物の再生を委託することは可能か。
(2) 罰金刑に処せられ、既にその執行を終わっているが、5年経過していない。一般廃棄物の処理を委託することはできるか。

#### 回答
(1) 当該事業協同組合の定款において、一般廃棄物の再生事業を行うこととされており、かつ、当該委託が令第4条各号に適合するものであれば差し支えない。
(2) できない。

#### 解説
1 (1)について、令第4条(一般廃棄物の収集、運搬、処分等の委託の基準)、令第4条の3(特別管理一般廃棄物の収集、運搬、処分等の委託の基準)に適合する者であれば委託は可能である。
2 (2)について、欠格要件の適用は委託契約成立時に存在する法令が適用される。
　★欠格要件:法第7条第5項第4号ニ
　「この法律、……の罪を犯し、罰金の刑に処せられ、その執行を終わり、又は執行を受けることがなくなった日から5年を経過しない者」

## II−2　区域外の処分委託

―――― 法令上の規定 ――――
令第4条(一般廃棄物の収集、運搬、処分等の委託の基準)
(9) 第7号の規定に基づき指定された一般廃棄物の処分又は再生の場所(広域臨海環境整備センター法に規定する広域処理場を除く。)が当該処

分又は再生を委託した市町村以外の市町村の区域内にあるときは、次によること。
　イ　当該処分又は再生の場所がその区域内に含まれる市町村に対し、あらかじめ、次の事項を通知すること。
　　(1)　当該処分又は再生の場所の所在地
　　(2)　受託者の氏名又は名称及び住所並びに法人にあっては代表者の氏名
　　(3)　処分又は再生に係る一般廃棄物の種類及び数量並びにその処分又は再生の方法
　　(4)　処分又は再生を開始する年月日

**質問55**
(1)　一般廃棄物を他市町村で処分する場合に、その市町村にあらかじめ通知することとなっているが、文書によらず口頭でもできるか。
(2)　他市町村からの一般廃棄物の処分について通知を受けた市町村は、当該一般廃棄物の処分に伴う生活環境の変化による影響を緩和する立場から意見を述べることができると解してよいか。
(3)　一般廃棄物である空き缶を収集した市町村が、当該空き缶を当該市町村の区域外の業者に有価物として売却する場合は、一般廃棄物を他市町村で再生する場合、市町村への通知は必要か。
(4)　市町村が、一般廃棄物の焼却及び焼却後の残さの埋立処分を当該市町村の区域外の業者に委託しようとする場合、当該市町村は埋立処分について、区域外の市町村に通知しなければならないと解してよいか。
(5)　一般廃棄物の最終処分場を有する者は、一般廃棄物処分業の許可を受けずに当該処分場が存する市町村以外の市町村から委託を受けて、一般廃棄物の埋立処分を行うことができるか。

**回答**
(1)　文書によることが適当である。

(2) 法律上通知を受けた市町村の行為について規定されていないが、事実上、通知した市町村との間で意見交換を行い、当該一般廃棄物が適正かつ円滑に処理されることが期待されている。
(3) 不要である。
(4) 通知しなければならない。
(5) 差し支えないが、当該委託を行う市町村に対して、令第4条第9号イの規定による事前の通知が必要である。

※※ 解説 ※※
　一般廃棄物の処理について、広域処理が増加しており、その円滑な処理の確保のためには関係市町村間において十分にその状況が把握されていることが必要なことから、市町村においてその一般廃棄物の処分を委託する際には、当該市町村は、処分等の場所を指定しその場所が他の市町村の区域にあるときは、処分先の市町村に対して必要事項をあらかじめ通知しなければならない。
　なお、広域臨海処理整備事業（フェニックス事業）においては、基本計画、実施計画の公表をもって、他市町村協議がなされるものとしている。
　★関係通知：平成4.8.13　衛環232　水道環境部長通知第2　5

## Ⅱ－3　特別管理一般廃棄物の委託

──── 法令上の規定 ────
令第4条の3（特別管理一般廃棄物の収集、運搬、処分等の委託の基準）
　法第6条の2第3項の規定による市町村が特別管理一般廃棄物の収集、運搬又は処分（再生を含む。）を市町村以外の者に委託する場合の基準は、第4条（第8号を除く。）の規定の例によるほか、次のとおりとする。
(1)　受託業務に直接従事する者が、その業務に係る特別管理一般廃棄物について十分な知識を有する者であること。

**質問56**　特別管理一般廃棄物委託基準のうち「受託業務に直接従事する者が、その業務に係る特別管理一般廃棄物について十分な知識を有する者」（令

第4条の3第1号)とは、どのような者か。

**※ 回答 ※**

取り扱う特別管理一般廃棄物の種類に応じて、当該特別管理一般廃棄物による人の健康又は生活環境に係る被害が生じないよう適切に業務が遂行できるだけの、当該特別管理一般廃棄物の性状、処理方法、取扱い上の留意事項等に関する知識を有すると認められる者が該当する。

**※ 解説 ※**

特別管理一般廃棄物の委託に当たっては、一般廃棄物の委託基準の例によるほか、その適正な処理の確保を図るため、委託業務に直接従事する者が十分な知識を有すること及び受託者が被害を防止するための必要な措置を講ずることができることという要件が設けられている。

## Ⅱ-4 一般廃棄物の収集手数料と市町村の行うあわせ産業廃棄物の受入れ費用

──────法令上の規定──────
地方自治法第227条に基づき、地方公共同体(市町村)の事務で特定の者のためにするものにつき、手数料を徴収することができる旨規定されている。このことは地方分権により廃棄物処理法からは削除された。

**質問57**

(1) 市町村において、一般廃棄物のうちし尿の収集運搬がすべて許可業者で行っている場合、市町村が行っている事務について定められる手数料条例において、手数料を条例化することができるか。
　　なお、当該市町村における許可業者が1社のみの場合と数社ある場合とで、相違があるか。
(2) 一般廃棄物の収集の手数料を証紙で代行することは可能か。
(3) 法第13条第2項の規定(市町村の産業廃棄物の受入)により徴収する

> 費用は、使用料という名目で徴収してよいか。

### 回答

(1) 市町村が処理していない一般廃棄物の処理手数料を、条例で定めることはできない。

　なお、このことについては、市町村における許可業者が1社であろうと数社であろうと同様である。

(2) そのとおり取り扱って差し支えない。

(3) 差し支えない。

### 解説

1　(2)の徴収方法について、市町村は地方自治法第231条の2第1項の規定により条例の定めるところにより、証紙による徴収方法を取っても差し支えない。

**(参考条文)**

地方自治法第231条の2
　普通地方公共団体は、使用料又は手数料の徴収については、条例の定めるところにより、証紙による収入の方法によることができる。

★関係通知：(1)　昭和47.5.18　環衛29　環境整備課長回答
　　　　　　(2)　昭和46.12.17　環整57　環境整備課長通知　問11

## Ⅲ　事業者の協力（適正処理困難物）

――― 法令上の規定 ―――

法第6条の3（事業者の協力）
　環境大臣は、市町村における一般廃棄物の処理状況を調査し、一般廃棄物のうちから、現に市町村がその処理を行っているものであって、市町村の一般廃棄物の処理に関する設備及び技術に照らしその適正な処理が全国各地で困難となっていると認められるものを指定することができる。

**質問58** 適正処理困難物（法第6条の3第1項）の規定に基づいて環境大臣が指定する一般廃棄物以外の一般廃棄物を条例で指定し、事業者に回収を義務づけることはできるか。

### 回答

義務付けは可能である。

### 解説

個々の市町村において、清掃事業の円滑な運営、一般廃棄物の適正な処理という観点から、当該地域の実情に応じて、環境大臣が指定する「適正処理困難物」以外に条例で処理が困難な一般廃棄物を指定し、事業者にその処理の協力を求めることは差し支えない。

# 第4章　処理基準

　廃棄物の処理を行うに当たっては、一般廃棄物は一般廃棄物処理基準、産業廃棄物は産業廃棄物処理基準、特別管理廃棄物は特別管理廃棄物処理基準及び大気汚染防止法等の環境関連法令に定められる基準を遵守しなければならず、これは排出者自らが処理する場合も同様（一般廃棄物処理基準以外）である。

## I　総則

**質問59**
(1) 産業廃棄物の処理基準より厳しい基準を地方公共団体の条例で定めることができるか。
(2) 一般廃棄物処理施設又は産業廃棄物処理施設からのばい煙の排出基準又は排出水の排水基準は、大気汚染防止法又は水質汚濁防止法の規定に基づくいわゆる「上乗せ基準」が定められている場合は、これに従うことになるのか。
(3) 悪臭に関して処分基準違反を問う場合の判断基準は何か。

**＊＊ 回答 ＊＊**

(1) 廃棄物処理法には、かかる条例委任の規定がないので、そのような基準を地方公共団体において定めることはできない。
(2) 大気汚染防止法等の環境諸法に基づいて地方公共団体の条例でいわゆる「上乗せ基準」が定められている場合には、当然その基準を守らなければならない。
(3) 悪臭防止法（昭和46年法律第91号）に定める基準又は周囲の人間の反応等を総合的に勘案して判断するものとする。

**＊＊ 解説 ＊＊**

　廃棄物処理法は、廃棄物の処理に関する一般法的な立場にたつものであるか

ら、廃棄物に該当するものであっても、沿革的に他の法律により、別制度で規制の措置が行われ、かつ廃棄物処理法の処理基準と同等以上の処理の基準が課されているものにあっては、廃棄物処理法に先行し、それぞれの法律の基準によって廃棄物の処理が行われる。

## Ⅱ 一般廃棄物

―――― 法令上の規定 ――――
法第6条の2 （市町村の処理等）
2 市町村が行うべき一般廃棄物（特別管理一般廃棄物を除く。以下この項において同じ。）の収集、運搬及び処分に関する基準（…略…海洋汚染等及び海上災害の防止に関する法律に基づき…略…基準を除く。以下「一般廃棄物処理基準」という。）並びに市町村が一般廃棄物の収集、運搬又は処分を市町村以外の者に委託する場合の基準は、政令で定める。
法第7条 （一般廃棄物処理業）
13 一般廃棄物収集運搬業者又は一般廃棄物処分業者は、一般廃棄物処理基準（特別管理一般廃棄物にあっては、特別管理一般廃棄物処理基準）に従い、一般廃棄物の収集若しくは運搬又は処分を行わなければならない。

**質問60**
(1) 建設工事の下請業者が当該工事の元請業者の排出する一般廃棄物を処理する場合、一般廃棄物処理業の許可が必要であり、一般廃棄物処理基準が適用されると解してよいか。
(2) 一般廃棄物処理基準は、事業者が自ら一般廃棄物の処理を行う場合に適用されるか。

※※ 回答 ※※
(1) 一般廃棄物処理業の許可が必要であり、一般廃棄物処理基準が適用される。
(2) 適用されない。ただし、措置命令の対象になる。

※※ 解説 ※※

一般廃棄物処理基準は、市町村、市町村の一般廃棄物委託業者、許可業者に適用されるものである。

ただし、法第16条の2（焼却禁止）によって、何人であっても、一般廃棄物処理基準（産業廃棄物処理基準等）に従わない焼却は禁止されることとなった。

## Ⅲ　産業廃棄物

――法令上の規定――

法第12条（事業者の処理）

　事業者は、自らその産業廃棄物（特別管理産業廃棄物を除く。第5項から第7項までを除き、以下この条において同じ。）の運搬又は処分を行う場合には、政令で定める産業廃棄物の収集、運搬及び処分に関する基準（…略…海洋汚染等及び海上災害の防止に関する法律に基づき…略…基準を除く。以下「産業廃棄物処理基準」という。）に従わなければならない。

**質問61**　産業廃棄物である無害な有機性汚泥の水面埋立処分を行う場合、コンクリート固型化後埋立てという方式で行ってもよいか。

**回答**

差し支えない。

**解説**

公共下水道に係る有機性汚泥の水面埋立処分に当たっては、令第6条第1項第3号トの規定により、消化設備を用いて有機物を消化させるか、他の処理により有機物の含有量が消化設備を用いたものと同程度以下とならなければ、焼却処理が必要な要件となる。

**質問62**
(1)　汚泥等を肥料として施用する場合、産業廃棄物処理基準が適用されるか。
(2)　台風・火災等の災害により生じた不要物を施設の安全を確保し、又は

人命を救助するため取り片付ける場合、産業廃棄物処理基準が適用されるか。

*** 回答 ***
(1) 汚泥等が有価物であれば処理基準は適用されない。
(2) 台風・火災等の災害により生じた不要物を施設の安全を確保し、又は人命を救助するため取り片付けるような場合には、処理基準は遵守されなくてもやむを得ない。

*** 解説 ***
1 (1)について、廃棄物を肥料として使用する場合の制限としては、法第17条及び規則第13条にふん尿を肥料として使用する場合の制限が規定されているにすぎず、肥料の品質の確保等に関する法律及び特殊肥料等指定（昭和25.6.20農林省告示第177号）等を参考として一般に肥料として使用される有価物であるかどうかを判断することになる。

2 (2)について、台風・火災等の災害により生じた不要物を施設の安全を確保し、又は人命を救助するため取り片付ける行為については、たとえ廃棄物の運搬又は処分に該当する行為であっても、処理基準が遵守されなくてもやむを得ない。なお、このことと同様な趣旨の例としては、海洋汚染等及び海上災害の防止に関する法律第10条第1項第1号、民法第720条第2項、刑法第37条第1項に緊急避難が規定されている。

ただし、人の人命救助等の緊急措置が済まされた場合以降の処理は、処理基準が適用されることとなる。

**質問63** 排出事業者が事業場内の地盤の低い土地に産業廃棄物を投入している。

排出事業者は地盤かさ上げと称して埋立処分ではないと主張するが、埋立処分と解して産業廃棄物処理基準を適用してよいか。

*** 回答 ***
適用してよい。

※※ 解説 ※※

1 占有者が自ら利用し、又は他人に有償で売却できる物（有価物）は廃棄物に該当しない。ただし、「自ら利用」する場合とは、他人に有償売却できる性状の物を占有者が使用することをいい、排出者が自己の生産工程へ投入して原材料として使用する場合を除き、他人に有償売却できない物を排出者が使用することは、「自ら利用」する場合には該当しない。
2 したがって、他人に有償売却できない産業廃棄物により、地盤のかさ上げや土地造成を行う場合は、産業廃棄物の埋立処分に該当し、処理基準が適用される。

なお、廃棄物の埋立に当たっては、施設の設置許可が必要となる。

**質問64** 産業廃棄物の海洋投入処分を自ら行う排出事業者に産業廃棄物処理基準を適用する場合、収集運搬と海洋投入処分の範囲をどのように区分して適用すればよいか。

※※ 回答 ※※

このような場合では、収集運搬とは産業廃棄物が排出事業者の事業場から搬出されてから廃棄物排出船に積み込まれるまでをいい、海洋投入処分とは産業廃棄物が廃棄物排出船に積み込まれてから海域へ排出されるまでをいう。

※※ 解説 ※※

1 産業廃棄物の最終処分は、令第6条により埋立処分と海洋投入処分が規定されている。ただし、埋立処分を行うのに特に支障がないと認められる場合には、海洋投入処分を行わないようにすることが規定されている。
2 海洋投入処分の方法は、令第6条第1項第4号により、汚泥等の船舶からの海洋投入処分のみ認められている。
3 海洋投入処分をする場合の法的規制としては、海洋汚染等及び海上災害の防止に関する法律第10条第2項第3号に、排出海域及び排出方法が規定されている。

**質問65** たき火程度の規模の焼却であっても、焼却する産業廃棄物の種類に

より、悪臭、ばい煙等に係る生活環境保全上の支障が生じていれば、令第3条第2号イの規定によることとされた、令第6条第1項第2号イの「産業廃棄物を焼却する場合には、環境省令で定める構造を有する焼却設備を用いて、環境大臣が定める方法により焼却すること。」の規定に違反していると解してよいか。

※※ 回答 ※※

違反していると解する。

※※ 解説 ※※

産業廃棄物を焼却する場合に焼却施設の使用が義務付けされているのは、いわゆる野焼きに伴う悪臭、ばい煙等により生活環境上の支障が生じないようにするためである。また、平成13年4月から何人も廃棄物を焼却することは原則禁止となっている。なお、処理基準を遵守したものやたき火等、日常生活を営むために通常行われる廃棄物の焼却など令第14条で定めるものは除外される。

### 質問66

(1) 産業廃棄物を収集・運搬する過程において、当該物を一定期間留め置く行為は産業廃棄物の保管と解されるが、その場合、どの程度の期間留め置くことをもって保管と判断すればよいか。

(2) 産業廃棄物の収集運搬に当たって保管を行う場合に、当該産業廃棄物が地下に浸透しないように講ずる必要な措置とは、廃棄物からの浸出液の地下への浸透防止措置も含むと解してよいか。

(3) 廃油、廃プラスチック類（廃タイヤに限る。）及び自動車等破砕物の処分に係る保管期間について、規則第7条の6の「適正な処分又は再生を行うためにやむを得ないと認められる期間」の判断基準如何。

※※ 回答 ※※

(1) 収集運搬してきた車両から積替え地点以降の運搬の用に供される車両への廃棄物の積替え及び運搬が連続して行われない限り、保管行為を伴うものと解して差し支えない。

(2) 浸出液の地下浸透も含む。
(3) 具体的な期間については、施設の種類や保管する産業廃棄物の種類、保管の状況により異なるものと考えられることから、一律に定めることは困難である。

◈◈ 解説 ◈◈

1 (1)について、収集運搬に係る保管の数量については、環境省令で定める場合（船舶で運搬）を除き1日当たりの平均的な搬出量に7を乗じて得られる数量以内である。
2 (3)について、保管している産業廃棄物の処分のめどが立っていない、又は立っているにもかかわらずその保管期間が相当長期間に及ぶなどの不適正な事例につき、個別具体的に判断する必要がある。
　処理基準には、産業廃棄物の数量として1日当たりの処理能力に14を乗じて得られる数量以内が定められている。さらに、優良産業廃棄物処分業者であれば、1日当たりの処理能力に28を乗じて得られる数量となる。
★関係通知：令和元.9.5　環循規発19090513　廃棄物規制課長通知　第15

---

**質問67　野積みタイヤの適正処理**

使用済みタイヤが、野積みされることにより、生活環境保全上の支障が生じる場合がある。
(1) 占有者において、自ら利用し、又は他人に有償売却することができるものであると認識している場合、占有者が、他人に有償で売却できる有価物であるという事情を明らかにするにはどういう方法があるか。
(2) 使用済みタイヤが廃棄物であると判断される場合において、①長期間放置が行われている場合、どの程度の期間で判断するのか。②適切な保管であることの客観的な確認にはどういう方法があるのか。

---

◈◈ 回答 ◈◈

1 占有者に明らかにさせる事情としては、次のいずれかを挙げることができる。

(1) 溝切り等を行いタイヤとして利用する、土止め、セメント原料又は燃料として利用するなど使用済みタイヤを自ら利用するものであって、これらの目的に加工を行うため、速やかに引渡しを行うことを内容とし、かつ履行期限の確定した具体的な契約が締結されていること。
(2) (1)のとおり利用するために、使用済みタイヤを他人に有償で売却するものであって、これらの目的のため速やかに引渡しを行うことを内容とし、かつ履行期限の確定した具体的な契約が締結されていること。
2 使用済みタイヤが廃棄物である場合、長期間とは概ね180日以上の長期にわたって乱雑に保管されている状態をいうものであり、適切な保管であることの確認方法は1(1)(2)であること。

### 解説

1 占有者において自ら利用し、又は他人に有償で売却することができるものであると認識しているか否かは、廃棄物に該当するか否かを判断する決定的な要素になるものではないこと。
　★関係通知：平成12.7.24　衛環65　環境整備課長通知「野積みされた使用済みタイヤの適正処理について」
　　　　　　　平成12.7.24　衛廃95　産業廃棄物対策室長通知

---

**質問68** 積替え保管しようとする産業廃棄物が、消防法の危険物に当たる場合、消防法の危険物施設の外壁と廃棄物処理法に規定する積替え・保管場所の囲いのどちらの規定をも満足する必要があるか。

---

### 回答

消防法の規定を満たす当該危険物施設の外壁があれば法の基準に適合する囲いが設けられているものとして運用する。

### 解説

1 産業廃棄物が、消防法第2条第7項に定める危険物に該当し、消防法の規定を満たす当該危険物施設の外壁又はこれに相当する工作物があれば法の基準に適合する囲いが設けられているものとして運用する。
2 危険物に該当する産業廃棄物については、消防法が遵守されることにより、

結果として、処理基準における「飛散し、流出し、及び地下に浸透」しないような必要な措置を講じたものになること。

★関係通知：平成4.8.13　衛環233　環境整備課長通知第2　3(2)

**質問69** 木くずを粉砕して他人に有償売却している事業者がいるが、粉砕した木くずの保管に伴い悪臭・汚水等が発生して周辺住民から苦情が出ている場合、法第12条第2項の保管基準を適用できるか。

◎◎ 回答 ◎◎

粉砕した木くずは有価物であり、保管基準を適用することはできない。

◎◎ 解説 ◎◎

有償売却している粉砕木くずは、廃棄物ではなく商品であるので廃棄物処理法は適用できない。

**質問70** 石綿を含有する成形板の取扱いについて
　　東日本大震災では、石綿含有成形板の除去を行う作業現場から比較的高濃度の石綿が検出された。今後、石綿含有成形板等の除去又は廃棄物処理を行う場合に粉じんを飛散しないよう注意すべき内容はどのようなものか。

◎◎ 回答 ◎◎

1　石綿含有成形板の除去に当たっては、原則として手ばらしで、破砕又は切断等を伴わない方法で行うこととし、建物から取り外した廃材を原形のまま保管・運搬できるよう十分な大きさのフレキシブルコンテナバッグや車両を用意すること。
2　石綿含有成形板が大きい等によりやむを得ず破砕等が必要な場合は、石綿等の粉じんを発散させないよう十分な湿潤化を行うとともに、作業場所の外部に飛散させないための措置を講じること。なお、板表面への事前の散水だけでは、破砕等に伴う破断面からの発じん対策として十分でないので、破断面への散水等の措置を講じながら作業を行うこと。
3　破砕等に伴い発生した石綿等の粉じんが床面に堆積し、再飛散するおそれがあるので、状況に応じて飛散防止の措置を講じながら作業を行うこと。

★関係通知：平成27.11.17　基安化発1117第2号　厚生労働省化学物質対策課長

## Ⅳ　埋立処分・海洋投入処分

**質問71**
(1)　処分の用語の定義を明示されたい。
(2)　一般廃棄物及び産業廃棄物の最終処分の方法は、埋立処分と海洋投入処分に限るものと解してよいか。

*** 回答 ***

(1)　中間処理及び最終処分の意である。なお、中間処理には、焼却、脱水、破砕、圧縮等があり、最終処分には、埋立処分と海洋投入処分がある。
(2)　そのとおりである。放流方式による下水道又は公共の水域への排出は、最終処分の一方式と考えられるが、それぞれ下水道法又は水質汚濁防止法の定めるところにより行われるものである。なお、一般廃棄物の海洋投入処分は禁止されている。

*** 解説 ***

廃棄物処理法上においては、「処理」、「処分」の用語は次のような意味で使い分けられている。
1　「処理」とは、廃棄物の適正な処理に関する一連の流れを意味している。この廃棄物が発生してから、最終的に環境に還元されるまでの一連の行為には、具体的には「保管」、「収集」、「運搬」及び「処分」がある。これを広義の「処理」という。
2　従来から廃棄物の処理を具体化した用語として、収集、運搬、処理及び処分ということがいわれているが、このような広義の「処理」と狭義の「処理」という用語が同一の法律の中で用いられるのは好ましくないので廃棄物処理法においては、従来いわれてきた「処理、処分」を「処分」として表現している。
3　この廃棄物処理法における「処分」には、最終的に自然界と廃棄物が連結する「最終処分」と、最終処分に先立って行われる人為的な操作等を指す

「中間処理」の二つの意味がある。

4 「最終処分」とは、廃棄物が最終的に自然界に還元されることを意味し、具体的には「埋立処分」と「海洋投入処分」がある。

5 「中間処理」とは、最終処分の前段階で、物理的、化学的又は生物学的な方法によって廃棄物の形態、外観、内容等を変化させることを意味し、具体的には「焼却」、「脱水」、「破砕」、「圧縮」、「再生」等々を指している。

6 「収集」とは、廃棄物をとり集め、運搬できる状態に置くことをいう。

7 「運搬」とは、必要に応じて廃棄物を移動させることをいい、積替えを行うことを含む。

質問72 「公共の水域」(令第6条第1項第3号ニに規定)の範囲はどのように解すればよいか。

※※ 回答 ※※

公共の水域と私的な用に供される水域以外の水域という意味であり、河川・運河・湖沼・農業用排水路・公共溝渠・地先海面等が含まれるが、下水道及び地下水脈は含まれない。

※※ 解説 ※※

1 令第6条第1項第3号ハ(1)から(5)までに掲げる有害な産業廃棄物の埋立処分を行う場合には、埋立地が公共の水域及び地下水と遮断されていなければならない。これは、水を媒介として有害物質が自然界に拡散されることを防止するためである。

2 埋立地が公共の水域及び地下水と遮断されているためには、埋立地が天然の状態でこのような条件を満足する場合は別として、通常の場合は、不透水層を埋立地の底面及び側面に設けたり、地盤改良等の土木施工によって、埋立地の地盤そのものを不透水性のものに変える必要がある。

3 なお、「公共の水域」の概念は、令第3条第3号ロにも規定されている。

質問73 廃棄物埋立処分場において「浸出液による汚染を防止する措置」(令第6条第1項第3号ホにおいて準用する令第3条第3号ロの規定)と

は、どの程度の措置をいうのか。

##### 回答 #####

　一般的には、浸出液の水質が昭和52年総理府・厚生省第1号省令第1条第1項第5号ヘに規定する排水基準に適合することとなる措置をいう。

##### 解説 #####

1　令第6条第1項第3号ハは、有害な産業廃棄物以外の産業廃棄物の埋立処分を行う場合、埋立地からの浸出液によって公共の水域及び地下水を汚染するおそれがある場合には、そのおそれがないように必要な措置を講ずること（令第3条第3号ロ）を規定したものである。

2　令第3条第3号ロは、一般廃棄物を埋立処分した場合の埋立地からの浸出液の措置についての基準であるが、一般廃棄物と同様の性状を有する産業廃棄物の処分場（管理型処分場）について準用したものである。

3　昭和52年総理府・厚生省令第1号第1条第1項第5号ヘは、集水設備又は排水設備により集められた浸出液は、一般的にはそのまま公共の水域等に放流することが好ましくない水質であることが多いため、それを処理するための浸出液処理設備を設けるべきことを規定したものである。この場合において、放流水の水質は、水質汚濁防止法の排出基準と同じ排水基準に加え、さらにＢＯＤ60mg/ℓ、ＣＯＤ90mg/ℓ、ＳＳ60mg/ℓ、ダイオキシン類10pg/ℓの基準に適合するものとされている。

　　ただし、ほう素及びその化合物、ふっ素及びその化合物、及びアンモニア、アンモニウム化合物、亜硝酸化合物及び硝酸化合物は、当分の間、暫定値が適用されている。

　　なお、水質汚濁防止法におけるいわゆる生活環境項目に係る排水基準については、1日当たりの平均的な排水の量が50㎥以上である排出水についてのみ適用されることとなっているが、管理型最終処分場には排水量にかかわらず、すべてに適用されることとなる。

**質問74**　製鉄・製鋼及び圧延業の高炉、平炉、転炉及び電気炉から排出され

> る鉱さいであって、相当期間エイジングする等の措置を講ずることにより、公共の水域及び地下水の汚染を生じさせないようにしたものは、「一般廃棄物の最終処分場及び産業廃棄物の最終処分場に係る技術上の基準を定める省令」において準用する第1条第1項のただし書に規定する必要な措置を講じた産業廃棄物に該当するとして、取り扱ってよろしいか。

❀❀ 回答 ❀❀

当面、地下水の汚染を防止するために必要な措置を講じた産業廃棄物として、取り扱っても差し支えない。

❀❀ 解説 ❀❀

「一般廃棄物の最終処分場及び産業廃棄物の最終処分場に係る技術上の基準を定める省令」において準用する第1条第1項のただし書に規定する地下水の汚染を防止するために必要な措置を講じた産業廃棄物（エイジングを行い、黄色の水等が出なくなった状態等のもの）に該当するものとして、取り扱っても差し支えない。

★関係通知：昭和53.7.1　環産25　環境部参事官回答

> **質問75**　令第6条第1項第3号ホ（令第3条第3号ロのただし書きの準用）で「公共の水域及び地下水の汚染を防止するために必要な措置を講じた産業廃棄物のみの埋立処分」とは何か。

❀❀ 回答 ❀❀

1　安定型産業廃棄物のみの埋立処分を行っている埋立地であって、埋立地の浸透水（安定型産業廃棄物の層を通過した雨水等をいう。）の水質が最終処分基準省令別表第2に掲げる基準並びに規則第7条の9に掲げる生物化学的酸素要求量（ＢＯＤ）及び化学的酸素要求量（ＣＯＤ）に係る基準に適合するものにおいて行うものが該当する。

2　過去に管理型産業廃棄物の埋立処分を行っており、現在は安定型産業廃棄物のみの埋立処分を行っている場合にあっては、これらの基準に適合することの他に、規則第1条の7の4第1号ニに掲げる場合に該当することが必要

である。

★関係通知：平成17. 2 .18　環産対発050218003・環廃産発050218001　廃棄物・リサイクル対策部長通知　第2　5⑵

> **質問76**　安定型産業廃棄物処分場において、「安定型産業廃棄物以外の廃棄物が混入するおそれのないよう必要な措置を講ずること」とあるが、具体的にはどのような措置か。

※※ 回答 ※※

安定型産業廃棄物以外の廃棄物が混入するおそれがないようにするために必要な措置とは、
　工作物の新築、改築又は除去に伴って生じた廃棄物を
1　安定型産業廃棄物とその他の廃棄物に分別して排出する。
2　ふるい等を使って選別し、安定型産業廃棄物の熱しゃく減量を5％以下とする。
のいずれかの方法により、当該安定型産業廃棄物に安定型産業廃棄物以外のものが混入し、付着することのないようにする方法である。
　また、埋立処分実施者が産業廃棄物の搬入時に内容物の確認（展開検査等）を行うことなども必要な措置である。

※※ 解説 ※※

　工作物の新築、改築又は除去に伴って生じた安定型産業廃棄物の埋立処分を行う場合における安定型産業廃棄物以外の廃棄物が混入し、又は付着することを防止する方法として、環境大臣が定める方法は、
1　工作物の新築、改築又は除去に伴って生じた廃棄物を安定型産業廃棄物（アスファルト、コンクリート又は無機性の固形状のものに限る。）と紙くず、木くず、繊維くずその他の安定型産業廃棄物以外の廃棄物とに分別して排出し、かつ、当該安定型産業廃棄物の埋立処分が行われるまでの間、当該安定型産業廃棄物に安定型産業廃棄物以外の廃棄物が混入し、付着することのないようにする方法
2　工作物の新築、改築又は除去に伴って生じた廃棄物（1以外）を手、ふる

い、風力、磁力、電気その他により安定型産業廃棄物以外の廃棄物を選別した結果、安定型産業廃棄物の熱しゃく減量を5％以下とし、かつ、当該選別の後に行う当該安定型産業廃棄物の埋立処分が行われるまでの間、当該安定型産業廃棄物に安定型産業廃棄物以外の廃棄物が混入し、付着することのないようにする方法
である。

★関係告示：平成10.6.16　環告34

> **質問77**　「地中にある空間」を利用する埋立処分とは、具体的にはどのようなものか。

◇◇ 回答 ◇◇

地中にある空間とは、具体的には廃坑、採石後の地下空間等の地中に存在する空洞を想定している。

◇◇ 解説 ◇◇

このような場所においては遮水工の施工・維持管理、地下水汚染の有無の確認及び汚染時の対策の施工が難しいことから、地下水汚染を生じるおそれがある廃棄物の埋立処分を禁止することとしたものである。

> **質問78**　油分の分析値は、測定方法により異なる結果となるが、油分の測定はどのような方法により行えばよいか。

◇◇ 回答 ◇◇

法に特に定めのある場合を除き、一般的にはノルマルヘキサンで抽出する方法（「排水基準を定める省令の規定に基づく環境大臣が定める排水基準に係る検定方法」第33号に掲げる方法）により行う。

◇◇ 解説 ◇◇

海洋投入処分を行う場合の油分の検定方法は、「廃棄物の処理及び清掃に関する法律施行令第6条第1項第4号に規定する海洋投入処分を行うことができる産業廃棄物に含まれる油分の検定方法」（昭和51.2.27環告3）によることとなる。

# V 特別管理一般廃棄物

──法令上の規定──
法第6条の2（市町村の処理等）
3　市町村が行うべき特別管理一般廃棄物の収集、運搬及び処分に関する基準（…略…海洋汚染等及び海上災害の防止に関する法律に基づき…略…基準を除く。以下「特別管理一般廃棄物処理基準」という。）並びに市町村が特別管理一般廃棄物の収集、運搬又は処分を市町村以外の者に委託する場合の基準は、政令で定める。

令第4条の2（特別管理一般廃棄物の収集、運搬、処分等の基準）
　　法第6条の2第3項の規定による特別管理一般廃棄物の収集、運搬及び処分（再生を含む）の基準は、次のとおりとする。
(1)　特別管理一般廃棄物の収集又は運搬に当たつては、第3条第1号イ、ロ及びニの規定の例によるほか、次によること。
　イ　収集又は運搬は、次のように行うこと。
　　(2)　特別管理一般廃棄物がその他の物と混合するおそれのないように、他の物と区分して収集し、又は運搬すること。ただし、人の健康の保持又は生活環境の保全上支障を生じないものとして環境省令で定める場合は、この限りでない。

規第1条の9（特別管理一般廃棄物を区分しないで収集又は運搬することができる場合）
　　令第4条の2第1号イ(2)の規定による環境省令で定める場合は、次のとおりとする。
(1)　特別管理一般廃棄物である特定施設排出物と特定施設排出物とを混合する場合であつて、当該廃棄物以外の物が混入するおそれがなく、かつ、混合した廃棄物の全量を溶融設備を用いて溶融し、又は焼成設備を用いて焼成する方法により処理する場合
(2)　感染性一般廃棄物と感染性産業廃棄物が混合している場合であつて、当該感染性廃棄物以外の物が混入するおそれがない場合

(3) 特別管理一般廃棄物である廃水銀と特別管理産業廃棄物である廃水銀等とが混合している場合であつて、当該廃棄物以外の物が混入するおそれのない場合

### 質問79

(1) 特別管理一般廃棄物の収集運搬基準において、「分別の区分に従って収集し、又は運搬すること」とあるが、1台の車に仕切り等により積み分けて運搬することも可能か。
(2) 特別管理一般廃棄物は、運搬用パイプラインを用いて運搬してはならないと解してよいか。

❀❀ 回答 ❀❀

(1) 可能である。
(2) 運搬用パイプラインを用いて運搬できない。

❀❀ 解説 ❀❀

1 (1)について、1台の車で仕切りする場合は、混合するおそれがなく、区分収集が可能な場合に限られる。
2 (2)について、例外規定である令第4条の2第1号ハの環境省令が定められていないので、運搬用パイプラインを用いた運搬はできない。

## VI 特別管理産業廃棄物

―――― 法令上の規定 ――――
法第12条の2（事業者の特別管理産業廃棄物に係る処理）
　事業者は、自らその特別管理産業廃棄物の運搬及び処分を行う場合には、政令で定める特別管理産業廃棄物の収集、運搬、及び処分に関する基準（…略…海洋汚染等及び海上災害の防止に関する法律に基づき…略…基準を除く。以下「特別管理産業廃棄物処理基準」という。）に従わなければならない。

## 第4章　処理基準

> **質問80**　特別管理産業廃棄物のうち、金属等を含む産業廃棄物に係る判定基準に適合するか否かの検定を排出事業者はいつの時点で行うべきか。

**回答**

　排出事業者自ら処理する場合にあっては、埋立処分行為を行う前に検定すべきであり、産業廃棄物処理業者に、その収集、運搬又は処分を委託する場合にあっては、当該委託の前に検定すべきである。

**解説**

　排出事業者の直接管理下から離れる時点である。
　したがって、特別管理産業廃棄物か否かは、通常発生した段階で把握しておくことが望ましく、仮に特別管理産業廃棄物であれば、特別管理産業廃棄物処理責任者の設置及びその手続きがなされ、適法な状態が確保されることとなる。

> **質問81**　特別管理産業廃棄物の収集運搬に係る文書（規則第8条の16）について、特別管理産業廃棄物を取り扱う際に注意すべき記載事項は、例えばどのような内容か。

**回答**

　例えば、消防法（昭和23年法律第186号）の危険物である特別管理産業廃棄物については、危険物の規制に関する規則（昭和34年総理府令第55号）により定められた「火気厳禁」等の注意事項である。

> **質問82**　特別管理産業廃棄物の埋立処分で、令第6条の5第1項第3号ラにおいて、「ホ、ヘ、カからタまで及びソからナまでに掲げる基準は、特別管理産業廃棄物以外のものについては、適用しない」としたのは、それ以外の基準は特別管理産業廃棄物に該当しない産業廃棄物に適用されるという趣旨か。

**回答**

　令第6条の5第1項第3号の規定は、すべて特別管理産業廃棄物のみに適用されるものであり、特別管理産業廃棄物でない産業廃棄物には適用されない。

※※ **解説** ※※

　令第 6 条の 5 第 1 項第 3 号ラにおいて、「ホ、ヘ、カからタまで及びソからナまでに掲げる基準は、特別管理産業廃棄物以外のものについては、適用しない」としたのは、これらの項の規定が特別管理産業廃棄物以外の産業廃棄物に適用されないことを入念的に示したものである。

> **質問83**　トリクロロエチレン・テトラクロロエチレンの洗浄・蒸留施設が水質汚濁防止法に追加されているが、令別表第 5 の 9 及び10の項には当該施設が追加されない理由如何。

※※ **回答** ※※

　令別表第 5 の 9 及び10の項それぞれ中欄に掲げる廃油の蒸留施設及び表面処理施設により対応されている。

# 第5章　廃棄物処理施設

## I　総則

**質問84**　焼却管理や排ガス処理等の実験を行うため、処理能力が1時間当たり200kg以上の廃棄物焼却施設を設置し、実験を行う場合、廃棄物処理施設の設置の許可は必要か。

### 回答

一般廃棄物、産業廃棄物とも試験の場合の設置許可は必要としない。ただし、廃棄物の処理に関する試験を行うことが確実なものに限る。

### 解説

1　廃棄物の処理に関する試験を行うための廃棄物処理施設は、廃棄物の処理を行うための施設ではないので設置許可は必要ない。

2　ただし、行政担当者は、事前に試験に関する計画を提出させ、必要に応じて立入検査を行い、試験が生活環境の保全上支障を生じさせる内容のものである場合は中止させる等の措置をとる必要がある。

　したがって、事業者は試験計画書を整え、関係行政庁へ届け出ておくことが求められるケースがあり、行政当局者に十分な相談を行うことが望まれる。

**質問85**　廃棄物処理施設の構造又は規模の変更に関して、規則第5条の2に規定する「処理能力」とはどのように解すればよいか。
　　許可を伴わない軽微な変更として過去に処理能力を変更していた場合の処理能力はどうとらえるか。

### 回答

直近の許可に係る施設の処理能力である。

◆◆ 解説 ◆◆

1 法第9条（第15条）第1項では、環境省令で定める軽微な変更を除いて、廃棄物処理施設の構造若しくは規模を変更する場合には都道府県知事等の変更許可を受けなければならないと規定している。
2 この「軽微な変更」の場合として、規則第5条の2では、主要な設備の変更を伴わず、かつ、処理能力の10％以上の増大を伴わない変更の場合がこれに該当すると規定している。
3 主要な設備を変更した場合に軽微な変更とみられないのは当然であるが、主要な設備を変更しない場合であっても、処理能力がかなり変わる場合には、環境保全上の見地から特に事前に変更許可を受けさせて構造基準との適合性をチェックする必要性が生じるわけである。
　　したがって、規則第5条の2の「処理能力」とは、直近の許可（届出）に係る施設の処理能力を指すと解さなければならない。
4 なお、軽微な変更については、個別具体的に検討しなければならない場合があり、行政庁と十分に相談する必要がある。

---

**質問86　使用前検査**

(1) 法第8条の2（第15条の2）第5項の規定による使用前検査は、当該検査の対象である廃棄物処理施設の竣工図面、試験運転結果等を提出させれば、実地に検査しなくてもよいか。
(2) 使用前検査の結果の通知は、どのように行えばよいか。
(3) 使用前検査の結果、当該施設が法第8条の2（第15条の2）第1項第1号に規定する技術上の基準に適合しないことが判明した場合、法第9条の2（第15条の3）の規定に基づき当該施設の許可を取り消し、又は必要な改善を命ずることは可能か。
(4) 廃棄物処理施設設置許可手数料には、使用前検査に係る費用も含まれていると解してよいか。

---

◆◆ 回答 ◆◆

(1) 当該施設の竣工図面、試験運転結果等をもとに、実地に検査しなければな

らない。
(2) 当該通知の方法についての法令上の規定はないが、文書により行うのが適当である。
(3) 可能である。
(4) 含まれている。

※※ 解説 ※※

1 使用前検査の目的は、廃棄物処理施設の安全性、信頼性の向上及び円滑な施設整備である。
2 処理施設の使用開始前検査の申請を受理した場合は、可能な限り速やかに実地検査を行うとともに、検査に当たっては、設置許可の際に許可申請者から提出された書類、図面等の相違を確認しつつ、設置者、技術管理者等当該処理施設について十分な知識を有する者の立会い及び説明を求め、当該施設が技術上の基準に適合したものであることを確認することとなる。
3 また、届出図書と完成図書に相違が見られる場合には、理由を付して、使用前検査申請書に添付することが適当であろう。

> **質問87** 法第15条第1項の規定による産業廃棄物処理施設の設置許可には、許可を受ける処理施設設置者の住所が記載事項として含まれているが、その住所を変更した場合は、法第15条の2の6に基づく変更許可を求めることができるか。

※※ 回答 ※※

法第15条の2の6に基づく変更許可の必要な場合には含まれず、同条を根拠として変更許可を求めることはできない。

※※ 解説 ※※

1 法第15条の2の6に基づく変更許可は、法第15条第2項に規定する処理する産業廃棄物の種類（第4号）、施設の処理能力（第5号）、施設の位置、構造等（第6号）、維持管理の計画（第7号）を変更する場合に限られている。
2 規則第12条の10の2において、軽微な変更として届出が必要である。

## Ⅱ 他法との関係

> **質問88** 地方公共団体の設置する産業廃棄物処理施設は、地方自治法第244条の「公の施設」に該当するか。

### 回答

　地方公共団体の設置する産業廃棄物処理施設は地方自治法第238条第3項の行政財産であるが、さらに地方自治法第244条の「公の施設」に該当するか否かは当該施設の設置目的、利用形態等によって一概にはいえない。通常、直接に一般住民をその利用対象としているものではないので、多くの場合「公の施設」に該当しないと考えられる。

### 解説

1　市町村は、一般廃棄物と併せて処理することができる産業廃棄物や市町村が処理することが適当であると認められる産業廃棄物については、事務としてその処理を行うことができることになっている。
2　都道府県は、適正処理確保のため処理することが必要であると認める産業廃棄物については、事務としてその処理を行うことができることになっている。
3　地方自治法第244条の「公の施設」は、住民の利用に供するための施設をいうものであり、事業活動に伴った産業廃棄物を処理するために設けられた産業廃棄物処理施設は通常「公の施設」に該当しないものと考えられる。

> **質問89**
> (1)　法第15条第1項に基づく産業廃棄物処理施設の設置許可の申請は、当該許可に係る施設について他法令の許可を得ることが極めて困難であると考える場合においては、受理を拒否できるか。
> (2)　建築基準法第51条に基づく手続きを経た施設でなくとも、法第15条第1項の許可を行うことができると解するがどうか。

※※ 回答 ※※

(1) 当該申請に係る施設について、他法令の許可を得ることが極めて困難であるとする理由を申請者に説明することが望ましいと考えるが、そのことをもって当該申請の受理を拒否することはできない。
(2) 可能である。ただし、建築基準法第51条に基づく手続きが別途必要であることを申請者に周知されたい。

※※ 解説 ※※

　他法の許可を得ていない段階であっても、産業廃棄物行政の立場で法に定められた手続きを進めても差し支えがないこととなっている。ただし、処理施設を立地しようとする場所について他法の規制がある場合については、関係部局に連絡するなどの配慮が必要である。ただし、許可されるか否かについては別の問題である。

　★関係通知：平成4．8．13　衛環233　環境整備課長通知第3　1(1)

| 質問90　日本下水道事業団が設置する、下水汚泥を処理するための産業廃棄物の設置許可は必要か。 |

※※ 回答 ※※

　必要である。

※※ 解説 ※※

　下水道法で規定する下水道管理者（公共・流域）が設置する産業廃棄物処理施設については、下水道事業の一環としてとらえ、自ら設置する場合の施設設置許可を必要としないが、日本下水道事業団は別の事業者であるので、下水汚泥を処理するための産業廃棄物の設置許可は必要である。

## Ⅲ　一般廃棄物処理施設

――――法令上の規定――――

法第8条（一般廃棄物処理施設の許可）
　一般廃棄物処理施設（ごみ処理施設で政令で定めるもの、し尿処理施設及び一般廃棄物の最終処分場で政令で定めるものをいう。）を設置しよう

とする者（第6条の2第1項の規定により一般廃棄物を処分するために一般廃棄物処理施設を設置しようとする市町村を除く。）は、当該一般廃棄物処理施設を設置しようとする地を管轄する都道府県知事の許可を受けなければならない。

法第8条の2（許可の基準等）

5　前条第1項の許可を受けた者は、当該許可に係る一般廃棄物処理施設について、都道府県知事の検査を受け、当該一般廃棄物処理施設が当該許可に係る同条第2項の申請書に記載した設置に関する計画に適合していると認められた後でなければ、これを使用してはならない。

法第9条の3（市町村の設置に係る一般廃棄物処理施設の届出）

　市町村は、第6条の2第1項の規定により一般廃棄物の処分を行うために、一般廃棄物処理施設を設置しようとするときは、環境省令で定めるところにより、第8条第2項各号に掲げる事項を記載した書類及び当該一般廃棄物処理施設を設置することが周辺地域の生活環境に及ぼす影響についての調査の結果を記載した書類を添えて、その旨を都道府県知事に届け出なければならない。

令第5条（一般廃棄物処理施設）

　法第8条第1項の政令で定めるごみ処理施設は、1日当たりの処理能力が5トン以上（焼却施設にあっては、1時間当たりの処理能力が200キログラム以上又は火格子面積が2平方メートル以上）のごみ処理施設とする。

2　法第8条第1項の政令で定める一般廃棄物の最終処分場は、一般廃棄物の埋立処分の用に供される場所（公有水面埋立法第2条第1項の免許又は同法第42条第1項の承認を受けて埋立てをする場所（以下「水面埋立地」という。）にあっては、主として一般廃棄物の埋立処分の用に供される場所として環境大臣が指定する区域に限る。）とする。

**質問91**　民間業者が再生利用の目的となる一般廃棄物の再生施設で処理能力が1日5トン以上のものを設置しようとする場合、法第8条第1項の一般

廃棄物処理施設の設置許可が必要であると解してよいか。

*** 回答 ***

設置許可が必要である。

*** 解説 ***

再生施設であっても、一般廃棄物を処理する施設であるので、設置許可が必要である。

**質問92** 港湾法に基づき建設される廃棄物埋立護岸の内側に一般廃棄物処理計画に基づき市町村設置に係る一般廃棄物処理施設がある場合にあっては、当該一般廃棄物処理施設は法第9条の3の市町村設置に係る届出の規定が適用されると考えてよいか。

*** 回答 ***

適用される。

*** 解説 ***

1　水面埋立に係る一般廃棄物（管理型）の最終処分場については、水面埋立の指定を受け、陸上と同じ廃棄物処理法が適用されることとなる。
2　水面埋立の指定対象要件は、次のとおりである。
(1)　水面埋立地に埋め立てられる物の種類（一般廃棄物、管理型産業廃棄物、その他の3種類）のうち、一般廃棄物又は管理型産業廃棄物の計画埋立処分容量が全体の1/3以上であるもの（層状埋立用の土砂を該当量に含める。）
(2)　一般廃棄物と管理型産業廃棄物の計画埋立処分容量の合計が全体の1/2以上であるもの
　　★関係通知：昭和54.10.15　環水企211・環整119　環境庁水質保全局企画課長・環境整備課長連名通知「水面埋立地の指定について」

**質問93** 市町村の設置する一般廃棄物焼却施設で、産業廃棄物を焼却する場合、産業廃棄物処理施設の設置許可は必要か。

❅❅ 回答 ❅❅

設置許可は必要ない。

❅❅ 解説 ❅❅

法第9条の3第1項の届出がなされた施設において、法第11条第2項に基づき産業廃棄物を処理する場合にあっては、法第15条第1項の許可は必要ないものとすること。

★関係通知：平成9．9．30　衛環251　環境整備課長通知第5

> **質問94**　一般廃棄物の溶融固化物について、再生利用の促進に努めているが、溶融固化物に係る目標基準に適合するものをやむを得ず最終処分する場合、「公共の水域及び地下水の汚染を防止するために必要な措置を講じた一般廃棄物」に該当するか。

❅❅ 回答 ❅❅

該当する。

❅❅ 解説 ❅❅

1　目標基準に適合する目標基準適合溶融固化物については、路盤材に有効に利用することが望まれるが、有効な用途が確保されず、埋立処分を行う場合にあっては、一般廃棄物の最終処分場及び産業廃棄物の最終処分場に係る技術上の基準を定める省令（昭和52年総理府令・厚生省令第1号）第1条第1項第5号の「公共の水域及び地下水の汚染を防止するために必要な措置を講じた一般廃棄物」に該当するものであること。

2　溶融固化物に係る目標基準
　(1)　路盤材、加熱アスファルト混合物用骨材
　　　日本産業規格A5032に適合していること。
　(2)　コンクリート用溶融スラグ骨材
　　　日本産業規格A5031に適合していること。

★関係通知：平成19.11.19　環廃対発071119001　廃棄物対策課長通知
　　　　　　平成19．9．28　環廃対発070928001　廃棄物・リサイクル対策部長通知

## Ⅳ　産業廃棄物処理施設

――――法令上の規定――――

法第15条（産業廃棄物処理施設）

　産業廃棄物処理施設（廃プラスチック類処理施設、産業廃棄物の最終処分場その他の産業廃棄物の処理施設で政令で定めるものをいう。）を設置しようとする者は、当該産業廃棄物処理施設を設置しようとする地を管轄する都道府県知事の許可を受けなければならない。

令第7条（産業廃棄物処理施設）

　法第15条第1項の政令で定める産業廃棄物の処理施設は、次のとおりとする。

(1) 汚泥の脱水施設であって、1日当たりの処理能力が10立方メートルを超えるもの

(2) 汚泥の乾燥施設であって、1日当たりの処理能力が10立方メートル（天日乾燥施設にあっては、100立方メートル）を超えるもの

(3) 汚泥（ポリ塩化ビフェニル汚染物及びポリ塩化ビフェニル処理物であるものを除く。）の焼却施設であって、次のいずれかに該当するもの
　　イ　1日当たりの処理能力が5立方メートルを超えるもの
　　ロ　1時間当たりの処理能力が200キログラム以上のもの
　　ハ　火格子面積が2平方メートル以上のもの

(4) 廃油の油水分離施設であって、1日当たりの処理能力が10立方メートルを超えるもの（海洋汚染等及び海上災害の防止に関する法律第3条第14号の廃油処理施設を除く。）

(5) 廃油（廃ポリ塩化ビフェニル等を除く。）の焼却施設であって、次のいずれかに該当するもの（海洋汚染等及び海上災害の防止に関する法律第3条第14号の廃油処理施設を除く。）
　　イ　1日当たりの処理能力が1立方メートルを超えるもの
　　ロ　1時間当たりの処理能力が200キログラム以上のもの
　　ハ　火格子面積が2平方メートル以上のもの

(6) 廃酸又は廃アルカリの中和施設であって、1日当たりの処理能力が50立方メートルを超えるもの

(7) 廃プラスチック類の破砕施設であって、1日当たりの処理能力が5トンを超えるもの

(8) 廃プラスチック類（ポリ塩化ビフェニル汚染物及びポリ塩化ビフェニル処理物であるものを除く。）の焼却施設であって、次のいずれかに該当するもの
　　イ　1日当たりの処理能力が100キログラムを超えるもの
　　ロ　火格子面積が2平方メートル以上のもの

(8の2)　木くず又はがれき類の破砕施設であって、1日当たりの処理能力が5トンを超えるもの

(9) 別表第3の3に掲げる物質又はダイオキシン類を含む汚泥のコンクリート固型化施設

(10) 水銀又はその化合物を含む汚泥のばい焼施設

(10の2)　廃水銀等の硫化施設

(11) 汚泥、廃酸又は廃アルカリに含まれるシアン化合物の分解施設

(11の2)　廃石綿等又は石綿含有産業廃棄物の溶融施設

(12) 廃ポリ塩化ビフェニル等、ポリ塩化ビフェニル汚染物又はポリ塩化ビフェニル処理物の焼却施設

(12の2)　廃ポリ塩化ビフェニル等又はポリ塩化ビフェニル処理物の分解施設

(13) ポリ塩化ビフェニル汚染物又はポリ塩化ビフェニル処理物の洗浄施設又は分離施設

(13の2)　産業廃棄物の焼却施設（第3号、第5号、第8号及び第12号に掲げるものを除く。）であって、次のいずれかに該当するもの
　　イ　1時間当たりの処理能力が200キログラム以上のもの
　　ロ　火格子面積が2平方メートル以上のもの

(14) 産業廃棄物の最終処分場であって、次に掲げるもの
　　イ　第6条第1項第3号ハ(1)から(5)まで及び第6条の5第1項第3号イ

(1)から(7)までに掲げる産業廃棄物の埋立処分の用に供される場所
ロ　安定型産業廃棄物の埋立処分の用に供される場所（水面埋立地を除く。）
ハ　イに規定する産業廃棄物及び安定型産業廃棄物以外の産業廃棄物の埋立処分の用に供される場所（水面埋立地にあっては、主としてイに規定する産業廃棄物及び安定型産業廃棄物以外の産業廃棄物の埋立処分の用に供される場所として環境大臣が指定する区域に限る。）

(注)　都道府県知事とは、都道府県知事、指定都市及び中核市等の市長である。

## Ⅳ-1　中間処理施設

**質問95**　一つの焼却炉で2種類以上の産業廃棄物を焼却する場合、この焼却炉の処理能力はどのように判断すべきか。

**◎◎ 回答 ◎◎**

個々の廃棄物を同時あるいは別々に焼却するのいかんにかかわらず、それぞれの産業廃棄物を単独に焼却した場合の公称能力でもって「産業廃棄物Aの焼却施設、能力$X_1$」かつ「産業廃棄物Bの焼却施設、能力$X_2$」としてとらえる。

**◎◎ 解説 ◎◎**

令第7条第1号から第8号まで及び第13号の2の産業廃棄物処理施設に該当するかどうかは処理能力も関係するが、その場合、一つずつの産業廃棄物についてその施設の処理能力が該当するかどうかを判断することになる。

**質問96**　令第7条第1号から第8号までに掲げる産業廃棄物処理施設の1日当たりの処理能力とは、何を意味するのか。

**◎◎ 回答 ◎◎**

当該施設が1日24時間稼働の場合にあっては、24時間の定格標準能力を意味する。それ以外の場合は、実稼働時間における定格標準能力を意味する。ただし、実稼働時間が1日当たり8時間に達しない場合には、稼働時間を8時間と

した場合の定格標準能力を意味する。

※※ 解説 ※※

　施設が8時間稼働したと仮定した場合の処理能力が、令第7条に規定する産業廃棄物処理施設の1日当たりの処理能力を超える場合には、たとえ8時間稼働しない施設であっても、産業廃棄物処理施設に該当することになる。

> **質問97**　令第7条第1号から第8号まで及び第13号の2に規定する産業廃棄物処理施設のうち種類が同一である機械が複数設置され、これらの機械が一体として機能している場合、その処理能力はどのように判断すればよいか。

※※ 回答 ※※

　複数の同種の機械が一体として機能している場合には、それらの機械の処理能力を合計したものが処理能力となる。

※※ 解説 ※※

1　複数の機械が一体として機能する場合には、それらの処理能力を合計したものがその施設の処理能力となり、それにより令第7条（産業廃棄物処理施設）の該当の有無、法第15条第1項の設置許可の必要性を判断することになる。

　★関係通知：平成9.9.30　衛環251　環境整備課長通知　第2
2　なお、工場又は事業場内のプラント（一定の生産工程を形成する装置）は令第7条に規定する産業廃棄物処理施設には該当しない。

> **質問98**　廃プラスチック類を処理する場合、溶融成型のみを行う施設は令第7条に規定する産業廃棄物処理施設に該当するか。また、破砕設備がその工程中に組み込まれている場合はどうか。

※※ 回答 ※※

　廃プラスチック類の溶融成型のみを行う施設は、令第7条に規定する産業廃棄物処理施設に該当しない。その工程中に破砕設備が組み込まれていても同様である。

## 解説

1 　法第15条第1項の規定を受け、令第7条では産業廃棄物処理施設（中間処理施設及び最終処分場）について定義している。
2 　令第7条では、18種類の中間処理施設、3種類の最終処分場を産業廃棄物処理施設と定めており、それ以外の施設は産業廃棄物処理施設には該当しない。
3 　令第7条第7号の産業廃棄物処理施設は、廃プラスチック類の破砕を目的とする施設であり、同第8号の産業廃棄物処理施設は、廃プラスチック類の焼却を目的とする施設であるので、廃プラスチック類の溶融成型のみを行う施設はいずれにも該当しない。

　なお、溶融成型の工程中に破砕設備が組み込まれていたとしても同様である。

> **質問99**　令第7条第2号に規定された天日乾燥施設の処理能力として1日100㎥は何を意味するのか。例えば、容積200㎥の施設に1日当たり10㎥ずつ20日間入れ21日目には10㎥取り出して新たに10㎥入れるような場合、許可は必要か。

## 回答

令第7条第2号に規定する汚泥の天日乾燥施設の1日当たりの処理能力とは、当該施設への汚泥の投入可能量を当該施設における汚泥の標準的な処理日数で除して計算した値を意味する。

したがって、事例のような汚泥の天日乾燥施設への汚泥の投入可能量が200㎥であり、汚泥の標準的な処理日数が20日である場合には、当該施設は1日当たり10㎥の処理能力を有するものであり、令第7条第2号に掲げる産業廃棄物処理施設たる汚泥の天日乾燥には該当しない。

## 解説

令第7条第2号には、熱乾燥方式と天日乾燥方式の汚泥の乾燥施設が規定されているが、前者について1日当たりの処理能力が10㎥を超える施設のみとしたのは、令第7条第1号の汚泥の脱水施設の規模との均衡を考慮したものである。許可は、排出事業者、処理業者、国又は地方公共団体を問わず、産業廃棄

物処理施設を設置し、又は構造等を変更する場合に必要である。

> **質問100** 次のような施設を設置する場合、法第15条第1項の規定に基づく許可が必要か。
> 　　工事現場において数か月間使用する汚泥の脱水施設（処理能力が1日当たり10m³を超えるもの）

※※ 回答 ※※

許可が必要である。

※※ 解説 ※※

1　令第7条に規定された産業廃棄物処理施設を設置し、又はその構造若しくは規模を変更しようとする者は、法第15条第1項、法第15条の2の6で定めるところにより、都道府県知事の許可を受けなければならない。この許可は、排出事業者、処理業者、国又は地方公共団体を問わず、産業廃棄物処理施設を設置し、又は構造等を変更する場合に必要である。

2　令第7条第1号の汚泥の脱水施設に該当するものであれば、設置場所及び設置期間に関係なく、都道府県知事の許可を受ける必要がある。

> **質問101** 次のような施設を設置する場合に許可が必要か。
> (1) 排出事業者が事業活動に伴って生じる産業廃棄物（汚泥）を脱水乾燥後、肥料として売却している場合の当該汚泥の脱水及び乾燥施設
> (2) 廃棄物の処理以外の目的で使用されていた施設を産業廃棄物である汚泥の脱水施設（処理能力が1日当たり10立方メートルを超える施設）として使用する場合

※※ 回答 ※※

(1)、(2)ともに許可を必要とする。

※※ 解説 ※※

1　(1)について、産業廃棄物である汚泥の脱水及び乾燥施設は、令第7条第1号、第2号に該当すれば、たとえ処理後の汚泥が売却されたとしても産業廃棄物処理施設であることに変わりないので、許可を受けなければならない。

2 (2)について、法第15条第1項の産業廃棄物処理施設とは、新たに施設を作る場合だけではなく、従来、他の目的のために使用されていた施設を産業廃棄物処理施設に転用する場合も該当する。
　なお、この場合も当然、法第15条の2の許可基準等は適用される。

**質問102**　次の施設は令第7条に規定する産業廃棄物処理施設に該当するか。
　一定の生産工程を形成する工場又は事業場内のプラントの一部に組み込まれた汚泥の脱水施設で、次の要件をすべて満たす。
(1)　生産工程本体から発生した汚水のみを処理
(2)　脱水後の脱離液が返送され、脱水施設から直接放流されない。
　事故等で汚泥が流失した場合も水処理施設に返送され、環境中に放出されない。
(3)　脱水施設が水処理施設と一体的に運転
(4)　また、工場又は事業場内に設置されている生産工程とはパイプライン等で結合されていない脱水施設であっても、工場又は事業場内における生産工程から発生した汚水のみを処理する場合はどうか。

※※ **回答** ※※

(1)から(3)　令第7条に規定する産業廃棄物処理施設に該当しない。
(4)　該当する。

※※ **解説** ※※

1　次の(1)から(3)の要件をすべて満たす場合の汚泥の脱水施設は、独立した施設としてとらえ得るものとはみなされず、令第7条に規定する産業廃棄物処理施設に該当しないものとして取り扱う。
(1)　当該脱水施設が、当該工場又は事業場内における生産工程本体から発生した汚水のみを処理するための水処理工程の一装置として組み込まれていること。
(2)　脱水後の脱離液が水処理施設に返送され脱水施設から直接放流されないこと、事故等により脱水施設から汚泥が流出した場合も水処理施設に返送され環境中に排出されないこと等により、当該脱水施設からの直接的な生

活環境影響がほとんど想定されないこと。
(3) 当該脱水施設が水処理工程の一部として水処理施設と一体的に運転管理されていること。
2 油の油水分離施設、廃酸又は廃アルカリの中和施設等汚泥の脱水施設以外の処理施設についても、上記と同様の考え方により令第7条に規定する産業廃棄物処理施設に該当するか否かを判断するものである。
3 1の要件を満たす脱水施設における産業廃棄物たる汚泥の発生時点は、従前のとおり当該脱水施設で処理する前である。
4 (4)については、物理的に生産工程と結合されていないので、独立した施設ととらえる。

★関係通知：平成17.3.25　環廃産発050325002　産業廃棄物課長通知　第2
　　　　　　平成17.7.4　規制改革通知に関するＱ＆Ａ集Ｑ3　平成25.6.28改正

**質問103**　一定の生産工程
　次の脱水施設は生産工程の一部として、産業廃棄物処理施設には該当しないものとして解してよいか。
(1) 泥水式シールド工事等の泥水循環広報において発生する泥水や、ダム工事の骨材製造工程において発生する濁水の処理施設の一装置として脱水装置が組み込まれている場合（前問(1)〜(3)の条件を満たすもの）
(2) 「当該工場又は事業場内における生産工程本体」であれば、別法人による生産工程本体から発生した汚水が混入しているケース（当該生産工程本体と水処理施設及びその一装置として組み込まれている脱水施設が全体として一体不可分の工程を形成している場合）
(3) 汚染土壌を浄化する事業や砂利を洗浄する事業の浄化・洗浄工程における汚泥の脱水施設（汚泥の脱水施設がこの本体工程と一体不可分の工程を形成）

▓▓ 回答 ▓▓
令第7条に規定する産業廃棄物処理施設に該当しない。

第 5 章　廃棄物処理施設　　*127*

※※ 解説 ※※
1　「一定の生産工程」は、製品の製造工程に限定されるものでなく、建設工事の工程も該当しうる。すなわち、泥水式シールド工事等の泥水循環工法や骨材製造工程における脱水施設も、これが当該建設工事の本体工程と一体不可分の工程を形成しており、かつ、前問(1)～(3)の条件を全て満たすものについては、産業廃棄物処理施設に該当しない。
2　これら事業の生産工程本体は廃棄物として該当しないものを浄化・洗浄するものであり、汚泥の脱水施設がこの本体工程と一体不可分の工程を形成している場合には、製造工程の一環となっている汚泥の脱水施設と同様に取り扱う。
　★関係通知：平成17．7．4　規制改革通知に関するＱ＆Ａ集Ｑ４～Ｑ６　平成25．6．28改正

**質問104**　油分を５％以上含んだ汚泥を焼却処分する場合の焼却炉は、廃油の焼却炉か、汚泥の焼却炉か、いずれに該当するか。

※※ 回答 ※※
いずれにも該当する。

※※ 解説 ※※
1　産業廃棄物の分類上は、油分をおおむね５％以上含む泥状物は汚泥と廃油の混合物として取り扱い、５％未満の泥状物は汚泥（油分を含む汚泥）として取り扱うことになる。
2　したがって、油分を５％以上含んだ汚泥を焼却する場合の焼却炉のうち一定規模以上のものは、令第７条第３号及び第５号の両方に該当する場合がある。
　★関係通知：昭和51.11.18　環水企181・環産17　環境庁水質保全局企画課長・厚生省水道環境部参事官連名通知「油分を含むでい状物の取扱いについて」

**質問105**　次に掲げる処理施設は、令第７条に該当するか。

> (1) 汚泥に薬剤を投入して発熱反応により水分を除去する施設
> (2) 埋立地において廃プラスチック類の破砕を行うコンパクター
> 　　（ブルドーザーのキャタピラに刃をつけて破砕を行う車両）

◈◈ 回答 ◈◈

(1) 令第7条第1号（汚泥の脱水施設）又は同第2号（汚泥の乾燥施設）に該当する。

(2) 令第7条第7号（廃プラスチック類の破砕施設）に該当する。

◈◈ 解説 ◈◈

1　(1)について、令第7条第1号の汚泥の脱水施設には遠心脱水、真空脱水、加圧脱水等の方式があり、同条第2号の汚泥の乾燥施設には熱乾燥方式、天日乾燥方式がある。

　薬剤を投入して発熱反応により水分を除去する施設は、その程度により、令第7条第1号の脱水施設又は同条第2号の乾燥施設となる。

2　(2)について、移動可能な施設も、令第7条に該当する場合には産業廃棄物処理施設となる。この場合、法第15条第1項の設置許可は、当該処理を行う区域を管轄する都道府県知事に対して行うこととなる。

　また、このような施設を用いて産業廃棄物処理業を行おうとする者は、法第14条第6項により、当該処理を行う区域を管轄する都道府県知事等の中間処理業の許可を受けなければならない。

★関係通知：昭和53.6.23　環産23　水道環境部参事官通知　「移動可能な中間処理施設によって産業廃棄物の中間処理を行う場合の取扱いについて」

> **質問106**　次に掲げる施設は、令第7条に該当するか。
> 　汚泥、水、セメントをミキサーで混練して、そのまま埋め立てる場合に使用するミキサー

◈◈ 回答 ◈◈

令第7条第9号（コンクリート固型化施設）には該当しない。

第 5 章　廃棄物処理施設　*129*

❀❀ 解説 ❀❀

1　産業廃棄物処理施設たるコンクリート固型化施設とは、水銀若しくはその化合物、カドミウム若しくはその化合物、鉛若しくはその化合物、有機りん化合物、六価クロム化合物、ひ素若しくはその化合物、シアン化合物、ポリ塩化ビフェニル又はトリクロロエチレンなど有害物質等の少なくとも一つを含む汚泥を金属等を含む廃棄物の固型化に関する基準に従って、固型化することを目的とした施設をいうものである。

2　したがって、コンクリート固型化の施設であっても前記物質を含まない汚泥等を処理する施設は、令第7条第9号の産業廃棄物処理施設には該当しない。

★関係通知：昭和52.3.14　環境庁告示第5号「金属等を含む廃棄物の固型化に関する基準」

**質問107**　令第7条第9号（有害物質等を含む汚泥のコンクリート固型化施設）に規定する「含む」とは、どの程度のことを意味するのか。

❀❀ 回答 ❀❀

令第7条第9号に規定する「含む」とは、「金属等を含む産業廃棄物に係る判定基準を定める省令」に規定する基準を超えることを意味する。

❀❀ 解説 ❀❀

令第7条第9号は、有害物質等を含む汚泥のコンクリート固型化の規定であるが、「含む」かどうかは、前記「省令」の基準に基づき判断することになる。

**質問108**　令第7条各号で区分する産業廃棄物処理施設の種類（令第7条第14号に掲げる施設についてはイ、ロ、ハの区分を含む。）が同一である施設2基を設置していた者が、2基の施設の処理能力を合計した処理能力を有する施設1基に変更する場合、法第15条の2の6の変更許可が必要か。

❀❀ 回答 ❀❀

変更許可が必要である。

❀❀ 解説 ❀❀

1　法第15条の2の6、規則第12条の8には、産業廃棄物処理施設の処理能力を10％以上変更する等の場合には変更許可が必要であることが規定されており、その手続き等については、規則第12条の9に規定されている。
2　既設置の施設の構造若しくは規模等を変更する場合には、たとえ従来の施設の処理能力と同じ処理能力を有することになるとしても、変更の許可が必要である。

> **質問109**　一つの施設が令第7条各号に規定する複数の産業廃棄物処理施設に該当する場合、法第15条第1項の規定による設置許可の申請は、各々の産業廃棄物の施設ごとに行わせるのか。

❀❀ 回答 ❀❀

当該施設が複数の産業廃棄物処理施設に該当する場合であっても、一つの施設についての設置の許可の申請は一件の申請でよい。

❀❀ 解説 ❀❀

複数の施設に該当する場合は、両方に該当する施設として許可を受ける必要があるが、両方の内容を含むものとして一つの許可を受ければ足りる。

> **質問110**　E社の焼却施設の排ガスの影響により、ダイオキシン類に係る大気環境濃度が極めて高い場合（24時間測定値で最大53pg-TEQ/㎥、平均7.4pg-TEQ/㎥）、産業廃棄物の技術上の基準「施設の煙突から排出される排ガスにより生活環境の保全上の支障が生じないようにすること（規則第12条の2第3項）」及び産業廃棄物処理施設の維持管理の技術上の基準「排ガスによる生活環境保全上の支障が生じないようにすること（規則第4条の5第1項第2号ヨ）」をいずれも満たさないものであると解してよいか。

❀❀ 回答 ❀❀

いずれも満たさないものである。

❀❀ 解説 ❀❀

1　大気環境調査において、24時間測定値で最大53pg-TEQ/㎥（平均7.4pg-TEQ/㎥）のダイオキシン類に係る大気環境指針値の60倍を上回る（平均値

は約9倍)という大気環境の状況調査結果は、全国で実施されてきた過去のダイオキシン類調査にも見られない異常なものである。
2　こうした状況はE社の焼却施設が住宅地域に比して低地にあるため、煙突からの排ガスが風向きによっては住宅内に直接吹き付けるという類のない状態にある中で、大気環境調査において測定したバックグラウンドにおけるダイオキシン類に係る大気環境濃度も勘案すると、住宅地域のダイオキシン類に係る大気環境濃度が極めて高いのは、E社の焼却施設の排ガスの影響と考えるほかない。

★関係通知：平成11.10.26　衛環80　環境整備課長回答

## Ⅳ-2　最終処分場

> **質問111**　一般廃棄物の最終処分場及び産業廃棄物の最終処分場に係る技術上の基準を定める省令(以下「最終処分場基準省令」という。)第1条第1項第4号イにおいて擁壁、えん堤等は自重、土圧、水圧、波力、地震力等に対して構造耐力上安全であることが要求されているが、どのような方法で確認すればよいか。

**回答**

施設の構造耐力の設計に当たっては、農業農村工学会、全日本建設技術協会、日本道路協会、日本港湾協会等において定められた設計基準を遵守しなければならない。

(参考)
(社)全国都市清掃会議「廃棄物最終処分場指針解説」

> **質問112**　廃棄物処理法の改正(昭和52年)前に設置された産業廃棄物の最終処分場で、改正後に産業廃棄物処理施設に該当する対象となったものについて、廃棄物処理法の許可対象となり得るか。

**回答**

当該施設については、法第15条第1項に規定する構造の変更又は規模の変更

がない限り、設置許可の対象とはならないが、法第18条の規定により報告の徴収を行うことができる。

※※ 解説 ※※

1 昭和52年3月に最終処分場の設置届（現在は設置許可）が義務づけされ、更に、平成9年12月から裾切り要件（管理型1,000㎡、安定型3,000㎡）が撤廃された。
2 設置時点に届出対象でなかったものは、設置許可の対象とならないが、廃棄物処理基準に従って、平成11年6月から埋立地からの浸出液による公共の水域及び地下水の汚染防止の措置を講じることが適用となり、さらに平成17年4月から措置内容が具体的となり、浸出液処理設備等の設置が義務付けられている。

> 質問113　法改正前の許可対象規模でない産業廃棄物の最終処分場が、後にその規模を拡大した場合に設置許可は必要か。法第15条の設置許可の取扱い上、既設分はどのようにすべきか。

※※ 回答 ※※

このような場合は、新たに産業廃棄物処理施設を設置する者と見なして、次のように取り扱うことになる。

① 法第15条第1項に関しては、当該最終処分場の規模を拡大しようとする者による産業廃棄物処理施設の設置許可を必要とする。
② 法第15条第2項に関しては、当該最終処分場について、最終処分場基準省令第2条第1項に規定する技術上の基準に適合しているか否かを判断し、既存の最終処分場についても当該技術上の基準に適合させるように指導する必要がある。

　なお、既存の最終処分場の構造及びその埋立状況から、当該技術上の基準に適合させることが不可能な場合には、当該最終処分場の拡大計画の中止を命ずることができる。

※※ 解説 ※※

1 法改正により規模要件はなくなったため、規模を拡大する場合にはすべて

許可対象となる。
2 また、許可に際して、既存の部分を含む最終処分場全体について、最終処分場基準省令第2条第1項に規定する技術上の基準に適合しているかどうか判断する必要がある。
3 既存の最終処分場についても、改善又は措置命令の対象となり得る。

#### 質問114
(1) 最終処分場Aの設置者がAの外部に新たに埋立地Bを設ける場合、法適用関係はどうなるか。
(2) 同一の設置者のもとで、同一の地域に複数の産業廃棄物の最終処分場がある場合、これを全体で一つの最終処分場と解してよいか。

**回答**

(1) AとBが一体として機能するものであれば法第15条の2の5の変更許可が必要であるが、AとBが一体として機能しないものであれば、Bは独立した一つの最終処分場となりBについて法第15条第1項の設置許可が必要となる。
(2) 産業廃棄物の処理施設の能力とは、有機的に一体として機能すると考えられる施設の総体の能力を意味するものである。
　同一の地域に複数の産業廃棄物の最終処分場がある場合、それらの施設が、「一体として機能する」とは、当該施設の設置者が同一の者であること、地形的に最終処分場が連続していること、又同一の施設若しくは付帯設備（管理棟、搬入路、埋立機械、浸出液処理設備等）を共有すること等の観点から当該施設の状況を総合的に勘案して判断すべきものである。したがって、その施設全体が一体として機能すると判断される場合においては、その全体を一つの最終処分場として取り扱うことが可能である。
　なお、この場合にあっては、個々の最終処分場の面積を合計したものが最終処分場の面積となる。

**解説**

1 最終処分場が「一体として機能する」とは、
　　○ 施設の設置者が同一のものであること

○　同一の施設若しくは付帯設備（管理棟、搬入路、埋立機械、浸出液処理設備等）を共有すること

等の観点から最終処分場の状況を総合的に勘案して判断することになる。
2　一体として機能する場合には変更の許可、それ以外の場合には設置許可が必要となる。
3　産業廃棄物の最終処分場については、複数の産業廃棄物の最終処分場がある場合、それらの最終処分場の施設が有機的に一体として機能するかどうかを考慮し、判断することになる。

---

**質問115**　同一の者が同一の区域に令第7条第14号ハに掲げる産業廃棄物の埋立地A、B（管理型最終処分場）とその中間に令第7条第14号ロに掲げる産業廃棄物の埋立地C（安定型最終処分場）を設置している。
　AとBが、中間にCが存在しているにもかかわらず、搬入路・浸出液処理設備を共有する等一体として機能していると認められる場合、AとBを合わせたものを一つの施設と判断してよいか。

---

❀❀ 回答 ❀❀

AとBを合わせたものは、一つの令第7条第14号ハに掲げる施設と判断される。

❀❀ 解説 ❀❀

1　複数の産業廃棄物処理施設の全体が一体として機能するものと判断される場合においては、その全体を一つの施設ととらえることになる。
2　一体として機能するとは、当該施設の設置者が同一であること、地形的に最終処分場が連続していること、又は同一の施設若しくは付帯設備（管理棟、搬入路、埋立機械、浸出液処理設備等）を共有すること等の観点から当該施設の状況を総合的に勘案して判断することになる。
3　したがって、A、Bについては、その中間にCが存在していたとしても一つの施設であると判断される。

---

**質問116**　土地を地主から借地し人員を雇用して埋立処分を行う者は、最終

処分場の設置者に該当するか。

**回答**

最終処分場の設置者に該当する。

**解説**

1　最終処分場は、自己の所有地以外の土地にも設置することはできるが、土地の使用権限に関しては、最終処分場の設置期間等とそごを生じないようにしなければならない。
2　なお、法第14条第1項及び第4項に規定する産業廃棄物処理業の許可は、原則として、許可申請者が、技術上の基準に適合し、かつ、適法に使用することができる施設を現に所有し、又は使用する権限を有していることを確認した後において行うこととされている。

**質問117**　埋立地の周囲に設ける立入禁止の囲い（最終処分場基準省令第2条第1項柱書で準用する同省令第1条第1項第1号に規定する囲い）は、埋立処分を終了し、廃止した埋立地（同省令第1条第3項に規定する措置を講じた埋立地）にも設けなければならないか。

**回答**

設ける必要はない。

**解説**

1　埋立地の周囲の囲いは、危険防止のために最終処分場基準省令第2条第1項柱書で準用する同省令第1条第1項第1号の規定により設けられるものである。
2　したがって、埋立処分を終了し、同省令第1条第3項の規定により、必要な措置を講じて廃止した埋立地については、囲いを設ける必要はない。
3　なお、最終処分場が廃止された時点で、都道府県知事は当該地が最終処分場であったという記録を行い、関係人に閲覧を供することとなる。

**質問118**　次のような場合に設置許可は必要か。

管理型の産業廃棄物を新たに投入しようとする場合の既許可（届出）の一般廃棄物処理施設（最終処分場）

### 回答
許可が必要である。

### 解説
1 一般廃棄物処理施設は、法第8条第1項（市町村設置の場合は法第9条の3の届出）により、また、産業廃棄物処理施設は、法第15条第1項により都道府県知事の許可が必要である。
2 一般廃棄物処理施設の最終処分場と令第7条第14号ハに規定する産業廃棄物の管理型最終処分場は、同種類の廃棄物が処分されることが多いが、前者は法第6条第1項により市町村の処理計画に関連し、後者は、法第5条の5により都道府県の処理計画に関連するものであるので、それぞれについて許可を受けなければならない。

**質問119** 山砂利の採取場で、砂利を洗った汚水を素掘りの穴に導き土砂を沈殿分離して上澄水を放流している。穴に土砂がたまって、沈砂池として使えなくなると使用をやめて覆土する場合、当該穴はどのような施設と判断すべきか。

### 回答
汚泥の最終処分場と判断すべきである。

### 解説
1 穴にたまった汚泥を覆土して埋め立てているものであり、汚泥の最終処分場に該当する。
2 したがって、令第7条第14号ハに該当し、産業廃棄物処理施設の基準が適用されることになる。

**質問120**
（1）管理型最終処分場の設置の許可に際し、法第15条の2第4項に基づき、

第 5 章　廃棄物処理施設　　137

　　　水質汚濁防止法に基づく上乗せ条例の排水規制値を満足させることを条件として付すことができるか。
(2)　水質汚濁防止法第29条に規定する条例が一般廃棄物（管理型産業廃棄物）の最終処分場に設置される浸出液処理設備からの放流水について、排水基準を定める省令より厳しい基準を定めた場合、当該最終処分場の設置者及び管理者は最終処分場基準省令第 1 条第 1 項第 5 号ヘ及び同条第 2 項第14号イ、第 2 条第 1 項第 4 号及び第 2 項第 3 号の規定に照らし、当該条例に従う必要はないとすることができるか。

◈◈ 回答 ◈◈
(1)　他法の規制を遵守することは当然のことであり、そのような当然の規制は、設置の許可に際し付す条件になじまず、したがって条件として付すことはできない。
(2)　最終処分場基準省令の規定は、水質汚濁防止法の観点からする規制を排除する趣旨ではないので、設置者及び管理者は当該条例を遵守しなければならない。

◈◈ 解説 ◈◈
1　廃棄物処理法では、上乗せ規制は認めていない。しかし、他法条例で環境を守るために制定されているものがあれば、遵守しなければならない。
2　許可申請書の維持管理に関する計画において、上乗せした基準で管理をすることを記載した場合は、申請書記載の計画に従った維持管理をしなければならない。
　　この場合において、当該管理を怠った場合は維持管理に関する改善命令ができる。

質問121　最終処分場の一区画において埋立処分が終了し、当該区画を廃止した後、当該区画が沈下したために、沈下に対処するため再び産業廃棄物で埋立処分をする場合、どのような手続きが必要か。

❀❀ 回答 ❀❀

法第15条の2の6の変更許可が必要である。

❀❀ 解説 ❀❀

1 最終処分場の廃止は、その場所が最終処分場ではないことを明らかにすることをいうが、最終処分場基準省令第2条第3項の廃止基準の規定に適合する状態でなければならない。

2 この規定に適合しない場合は、最終処分場の廃止を行うことはできない。

> **質問122** 余剰の農作物を畑に鋤込む場合でも廃棄物の最終処分施設として規制されるのか。

❀❀ 回答 ❀❀

規制されない。

❀❀ 解説 ❀❀

廃棄物の最終処分とは、社会通念上廃棄物の埋立処分を行う場所をいい、典型的には、反復かつ継続して廃棄物の埋立処分の用に供される場所のことをいうこと。

したがって、例えば、一般廃棄物の少量のごみを庭先に埋めることや余剰の農作物を畑に鋤込むこと等に対して、事前に施設としての規制を行うことを意図したものではない。

★関係通知:平成9.9.30 衛環251 環境整備課長通知第6

> **質問123** 最終処分場の残余容量の算定方法は

❀❀ 回答 ❀❀

1 残余容量の算定の方法は、現地測量によることを原則とするが、現地測量により最終処分場の構造が明らかになっている場合には、埋立処分の進捗の度合いを標尺等を用いて把握し、その結果を利用して平均平断面法、平均横断面法又はメッシュ法の手法により、算定しても差し支えない。

2 過去の実績をもとに埋立重量から容量を求める体積換算係数をあらかじめ算出している場合には、埋立重量から当該係数を用いて換算する方法により

算定しても差し支えない。
3 　埋立終了高さ付近に達する際の残余容量の算出については、最終処分場の埋立容量には覆土量が含まれることを考慮して、許可を受けた予定埋立高さから最終覆土厚さを差し引いた高さ（計画廃棄物埋立高さ）が１ｍ以下となった時点以降は、埋立終了高さが許可を受けた予定高さを超えないように残余容量の算定を頻度を上げて実施することとする。

　　また、埋立てられた廃棄物が沈下することが予想される場合であっても、あらかじめ沈下を想定して、計画廃棄物埋立高さを超えて廃棄物を埋立ててはならない。

★関係通知：平成17．2．18　環廃対発050218003・環廃産発050218001　廃棄物・リサイクル対策部長通知　第３　３、４

## Ⅴ　技術管理者

―― 法令上の規定 ――

法第21条（技術管理者）

　一般廃棄物処理施設（政令で定めるし尿処理施設及び一般廃棄物の最終処分場を除く。）の設置者（市町村が第６条の２第１項の規定により一般廃棄物を処分するために設置する一般廃棄物処理施設にあっては、管理者）又は産業廃棄物処理施設（政令で定める産業廃棄物の最終処分場を除く。）の設置者は、当該一般廃棄物処理施設又は産業廃棄物処理施設の維持管理に関する技術上の業務を担当させるため、技術管理者を置かなければならない。ただし、自ら技術管理者として管理する一般廃棄物処理施設又は産業廃棄物処理施設については、この限りでない。

**質問124**　次のような場合、技術管理者を兼任させてよいか。
(1) 企業が所在地の異なる産業廃棄物処理施設を所有する場合
(2) 隣接する異なる企業の工場が産業廃棄物処理施設をそれぞれ設置する場合

※※ 回答 ※※

(1)、(2)ともそれぞれの施設において専従の技術管理者を置かなければならない。

※※ 解説 ※※

1 法第21条により、産業廃棄物処理施設の管理者は、施設の維持管理に関する技術上の業務を担当させるため、技術管理者を置かなければならない。
2 ただし、令第23条に規定する施設については、技術管理者を置く必要はない。
3 なお、技術管理者の資格については、規則第17条に規定されている。
4 専従の技術管理者を置く必要があるかどうかは、施設の維持管理が適正に行えるかどうかにより判断することになる。したがって、所在地の異なる産業廃棄物処理施設を適正に維持管理するためには、専従の技術管理者が必要となる。

**質問125**
(1) 技術管理者を確保していない場合、確保していないことを理由に法第15条第1項の規定に基づく産業廃棄物処理施設の設置許可申請を受理しないことができるか。
(2) 産業廃棄物処理施設の技術管理者が確保できない場合、施設の使用停止を命じることができるか。

※※ 回答 ※※

(1) 確保していないことを理由に当該設置許可申請の受理をしないことはできない。
(2) 技術管理者が確保できないことにより、維持管理基準が満たされていない場合には可能である。

※※ 解説 ※※

(1)について、施設の使用前検査までの間に確保するよう十分指導する必要がある。

> **質問126** 既に埋立てを終了したものの、未だ廃止していない最終処分場にも技術管理者を置く必要があるか。

◎◎ 回答 ◎◎

技術管理者が必要である。

◎◎ 解説 ◎◎

埋立終了後も廃止するまで最終処分場の維持管理は必要であり、技術管理者は必要である。

> **質問127** 専修学校を短期大学並に扱って、技術管理者の資格判断をしてもよいか。

◎◎ 回答 ◎◎

専修学校を規則第17条第3号で準用する第8条の17第2号ニ、ホに掲げる短期大学等に読むことはできない。

◎◎ 解説 ◎◎

技術管理者の資格については、規則第17条に規定されており、拡大解釈できない。

> **質問128** 規則第17条に規定する「廃棄物の処理に関する技術上の実務に従事した経験」には、行政庁の職員が従事した産業廃棄物に関する技術上の実務に従事した経験が入ると解してよいか。

◎◎ 回答 ◎◎

行政庁の従事経験は実務の従事経験となる。

## VI その他

> **質問129** 規則第12条の5に規定する許可証（様式第20号）に記載した内容に変更が生じたとき、かつ、当該変更は法第15条の2の6の許可を要しないものであった場合、当該許可証は書き換えなければならないか。

❄❄ 回答 ❄❄

書き換える必要はない。

❄❄ 解説 ❄❄

許可を変更した場合に、許可証は書き換えられるが、許可を要しない軽微な変更に該当するものについての書換えは必要がない。

> **質問130** 規則第12条の6第1号に、「受け入れる際に、必要な当該産業廃棄物の性状の分析又は計量を行うこと」とあるが、廃棄物の当該施設への搬入の際必ず性状の分析を行わなければならないと解してよいか。

❄❄ 回答 ❄❄

例えば、同一の性状の産業廃棄物を継続して受け入れる場合など、性状が明らかな場合には、定期的に性状を確認する程度の頻度としても差し支えない。

❄❄ 解説 ❄❄

当該分析は、当該施設に受け入れる産業廃棄物の種類及び量が当該施設の処理能力に見合った適正なものであるかどうかの判断を行うためのものである。

> **質問131** 有価物であるプラスチックを焼却していた1日当たりの処理能力が0.1トンを超える施設において、新たに廃棄物である廃プラスチック類を焼却することとする場合、法第15条第1項の許可を申請させるべきか。

❄❄ 回答 ❄❄

許可申請が必要である。

❄❄ 解説 ❄❄

廃棄物処理施設として使用する場合は、法第15条第1項の許可申請が必要である。

> **質問132** 法第9条の4の「周辺地域への配慮」の具体的内容はどのようなものか。

❄❄ 回答 ❄❄

この配慮についての具体的な内容は、個々の施設により異なるが、例えば、

廃棄物処理施設の運転に伴い、周辺地域の生活環境の保全上支障が生じないように維持管理を徹底すること、廃棄物処理施設の周辺に緑地を整備すること等が挙げられる。

◎◎ 解説 ◎◎

廃棄物処理施設と周辺住民との調和が図られるよう、廃棄物処理施設の設置者、管理者が当該施設に係る周辺地域の生活環境の保全及び増進に配慮すべきことを責務として規定したものである。

> **質問133** 法第8条の2（廃棄物処理施設の許可の基準等）第1項第2号の規定による維持管理に関する計画に、「周辺施設への適正な配慮」が求められているが、周辺施設とは何か。

◎◎ 回答 ◎◎

周辺施設の範囲については、その施設の特性上、人が利用し、その利用者に共通の特質がある施設である。

◎◎ 解説 ◎◎

1　周辺の施設は、当該施設の利用者の特性に照らして、生活環境保全について特に適正な配慮が必要であると認められる施設である。
2　例えば、病院、保育所、幼稚園、学校などが考えられるが、個別の状況に応じて都道府県知事が判断するものである。

　★関係通知：平成12.9.28　衛環78　環境整備課長通知　第5　2

> **質問134** 法第8条第5項の規定による生活環境保全の見地から意見を聴かなければならない関係市町村長とはどの範囲か。また、第6項の利害関係を有する者の生活環境の保全上の見地からの意見を求める趣旨は何か。

◎◎ 回答 ◎◎

1　意見を聴取しなければならない関係市町村長とは、申請された廃棄物処理施設の設置により生活環境の保全上の影響が及ぶおそれのある地域を管轄する市町村の長であり、具体的な範囲としては、廃棄物処理施設の設置予定場所を管轄する市町村、その隣接市町村（ただし、明らかに施設の設置による

影響が及ぶことが想定されないものを除く。）及び生活環境影響調査で施設の設置による影響が最大となると予測された地点を管轄する市町村の長を原則とすること。

2　利害関係者は縦覧期間開始の日以後期間満了の日の翌日から2週間後までの間、都道府県知事等に意見書を提出することができることとしたが、その趣旨は、施設の設置に対する単純な賛否を求めるものではなく、施設の設置予定場所の周辺住民等がその生活体験に基づく生活環境に関する情報を有していると考えられることから、より正確な審査を行うために必要な生活環境の保全上の見地からの意見を求めるものであること。

★関係通知：平成10.5.7　生衛発780　水道環境部長通知　第1　3(4)、(5)

> **質問135**　最終処分場周縁地下水の確認について、規則第1条の7の4第2号ロの除外規定として、「その原因が当該埋立地以外にあることが明らかであるもの」とは、どういう場合があるのか。

**回答**

水質悪化の原因が当該埋立地以外にあることが明らかであるものとは、最終処分場の設置者が実施した既存の水質検査の結果から判断して地下水の水質の変動が自然的な要因に由来するものと判断できる場合、又は最終処分場の近傍に汚染源があることが明らかな場合等における水質の悪化をいう。

★関係通知：平成17.2.18　環廃対発050218003・環廃産発050218001　廃棄物・リサイクル対策部長通知　第2　3

# 第6章　廃棄物処理業

## I　総則

**質問136**　次のような場合、廃棄物処理業の許可は必要か。
(1)　いわゆる下取り行為
(2)　他人の廃棄物の分別、圧縮

**回答**

(1)　新しい製品を販売する際に商慣習として同種の製品で使用済のものを無償で引き取り、収集運搬する下取り行為については、収集運搬業の許可は不要である。

(2)　一般的には処分業の許可の対象となる。ただし、廃棄物処理業の許可を有している者が該当許可に係る業の利便を図るため、簡単な手選別等を行う場合には独立した許可の対象とはならない。

**解説**

1　(1)について、製品を販売する際に、同種の製品で使用済のものを無償で引き取り、収集運搬する行為が商慣習として行われている場合には、この行為は、製品販売行為の一環であり、廃棄物処理業には該当しない。なお、商慣習となっていない場合には、収集運搬業の許可が必要である。
　★関係通知：平成12.9.29　衛産79　産業廃棄物課長通知　第1　13(2)

2　(2)について、廃棄物処理業の許可は、廃棄物の種類（一般廃棄物では、ごみ、し尿等、産業廃棄物では汚泥、鉱さい等及び特別管理産業廃棄物）並びに収集・運搬（積替保管の有無の別を含む。）又は処分（焼却、脱水等の中間処理並びに埋立処分及び海洋投入処分の最終処分の種類）ごとに定めることとされており、廃棄物の分別、圧縮は、一般的には処分（中間処理）に該当する。ただし、その業の利便を図るための簡単な手選別等のようなこれら

事業の範囲に付随するような形態の簡単、単純な業務は、独立した許可の対象とならない。

> **質問137** 次のような場合、廃棄物処理業の許可は必要か。
> 　収集運搬を伴わない保管・積替えのみを業として行う場合

❀❀ 回答 ❀❀

法第7条第1項（一般廃棄物処理業）、法第14条第1項（産業廃棄物収集運搬業）又は法第14条の4第1項（特別管理産業廃棄物収集運搬業）に基づき、市町村長又は都道府県知事（政令市長）の許可を受けなければならない。

❀❀ 解説 ❀❀

積替え・保管区域の市町村長又は都道府県知事の許可が必要である。
なお、当該許可を行うに当たっては、収集運搬のうち、積替え・保管部分に限る旨の表示をすることが必要である。

★関係通知：昭和50．9．26　環整85　環境整備課長回答　問1

> **質問138** 規則第9条第2号又は第10条の3第2号に規定する都道府県の再生利用業者の指定に係る事務について、都道府県又は政令市は手数料を徴収できるか。

❀❀ 回答 ❀❀

地方自治法第227条及び第228条第1項の規定に基づき、手数料を徴収できる。

**（関係法令）**
地方自治法
第227条（手数料）
　普通地方公共団体は、当該普通地方公共団体の事務で特定の者のためにするものにつき、手数料を徴収することができる。
第228条（分担金等に関する規制及び罰則）第1項
　分担金、使用料、加入金及び手数料に関する事項については、条例でこれを定めなければならない。この場合において、手数料について全国的に

統一して定めることが特に必要と認められるものとして政令で定める事務（以下本項において「標準事務」という。）について手数料を徴収する場合においては、当該標準事務に係る事務のうち政令で定めるものにつき、政令で定める金額の手数料を徴収することを標準として条例を定めなければならない。

**質問139** 米軍基地から排出される廃棄物を米軍以外の者が基地外へ搬出して処分する場合、当該者は廃棄物処理業（一般廃棄物・産業廃棄物）の許可が必要か。

**回答**
必要である。

**解説**
搬出元が米軍基地であっても、米軍以外の者が基地外で処分する場合は、廃棄物処理法が適用される。

**質問140** 次のような場合、廃棄物処理業の許可は必要か。
建築物の清掃業者が清掃後の廃棄物を処理する場合

**回答**
当該清掃業者は、廃棄物処理業の許可が必要である。

**解説**
建築物の管理の委託を受け、建築物内を清掃することは、建築物内において清掃する前から既に発生していた廃棄物を一定の場所に集中させる行為にすぎず、廃棄物処理法上の収集・運搬又は処分には当てはまらないため、廃棄物処理業の許可の対象とならない。しかし、委託業務に関連して焼却等の中間処理など廃棄物処理法上の収集・運搬又は処分の概念に当てはまる業務があれば、許可が必要となる。

清掃後の廃棄物の処理としては、当該建築物から廃棄物を収集・運搬する業務や、焼却等の処分を行う業務等が考えられるが、これらはすべて廃棄物処理

業の許可の対象となる。

> **質問141** 規制権限の及ばない第三者によるあっせん
> 排出事業者による処理業者への廃棄物処理委託に際し、地方公共団体の規制権限の及ばない第三者が排出事業者と処理業者の間に介在し、あっせん、仲介、代理等を行う事例が見受けられるが、排出事業者責任の観点から問題ではないか。

### 回答

排出事業者は、排出事業者として自ら責任を果たす観点から、これらの決定を第三者に委ねるべきではない。

### 解説

1 排出事業者は、その廃棄物について、自ら処理するか、自ら行わず他人に委託する場合は、産業廃棄物であれば産業廃棄物処理業者等、一般廃棄物であれば一般廃棄物処理業者等、廃棄物処理法において他者の廃棄物を適正に処理することが認められている者に委託しなければならないなど、排出事業者責任の義務を遵守しなければならない。

2 このため、排出事業者は、委託する処理業者を自らの責任で決定すべきものであり、また、処理業者との間の委託契約に際して、処理委託の根幹的内容（委託する廃棄物の種類・数量、委託者が受託者に支払う料金、委託契約の有効期間等）は、排出事業者と処理業者の間で決定するものである。排出事業者は、排出事業者として自ら責任を果たす観点から、これらの決定を第三者に委ねるべきではない。

3 これらの決定を第三者に委ねることにより、排出事業者責任の重要性に関する認識や排出事業者と処理業者との直接の関係性が希薄になるのみならず、あっせん等を行った第三者に対する仲介料等が発生し、処理業者に適正な処理費用が支払われなくなるといった状況が生じ、委託基準違反や処理基準違反、ひいては不法投棄等の不適正処理につながるおそれがある。

★関係通知：平成29. 3 .21　環廃対発1703212・環廃産発1703211　廃棄物対策課長・産業廃棄物課長通知

## Ⅱ　一般廃棄物処理業

### Ⅱ－1　許可の必要性

―――― 法令上の規定 ――――
法第7条（一般廃棄物処理業）
　一般廃棄物の収集又は運搬を業として行おうとする者は、当該業を行おうとする区域（運搬のみを業として行う場合にあっては、一般廃棄物の積卸しを行う区域に限る。）を管轄する市町村長の許可を受けなければならない。ただし、事業者（自らその一般廃棄物を運搬する場合に限る。）、専ら再生利用の目的となる一般廃棄物のみの収集又は運搬を業として行う者その他環境省令で定める者については、この限りでない。
6　一般廃棄物の処分を業として行おうとする者は、当該業を行おうとする区域を管轄する市町村長の許可を受けなければならない。ただし、事業者（自らその一般廃棄物を処分する場合に限る。）、専ら再生利用の目的となる一般廃棄物のみの処分を業として行う者その他環境省令で定める者については、この限りでない。

**質問142**　次のような場合、廃棄物処理業の許可は必要か。
(1)　動物霊園事業として愛がん動物の死体を処理する場合
(2)　空港内で発生する一般廃棄物の処理を委託され、空港外に当該一般廃棄物を運搬し、かつ、焼却することを業とする場合

**回答**

(1)　愛がん動物の死体の埋葬、供養等を行う場合、当該死体は廃棄物に該当せず、したがって廃棄物処理業の許可を必要としない。
　　しかしながら、火葬した焼骨であって、埋葬や供養が行われない場合は、許可が必要である。
(2)　許可が必要である。

❅❅ 解説 ❅❅

1 (1)について、ペットの死体の埋葬、供養等は、宗教的・社会的慣習等にのっとって行われるものであり、このような場合のペットの死体は、社会通念上、廃棄物処理法の対象としている廃棄物には当たらず、したがって、そのために廃棄物処理業の許可を得る必要はない。ただし、埋葬、供養等を行わず、単に動物の死体を業として焼却、埋立等の処理を行う場合には、廃棄物処理業に該当する。

★関係通知：昭和52．8．3　環計78　水道環境部計画課長回答

　しかしながら、火葬した焼骨であって、埋葬や供養が行われない場合は、許可が必要である。

★関係通知：平成28．6．2　環廃産発1606021　廃棄物・リサイクル対策部
　　　　　　産業廃棄物課長通知

2 (2)について、一般廃棄物の運搬又は焼却を業として行う場合には、当該業務について許可を要する。

---

**質問143**　次のような場合、一般廃棄物処理業の許可は必要か。
(1)　家庭の台所から排出される汚水を貯留する槽に沈殿する汚泥を業者が処理する場合
(2)　医療機関が排出する人の手足、内臓を処理料金をとって処理する場合

---

❅❅ 回答 ❅❅

(1)　許可が必要である。
(2)　許可が必要である。

❅❅ 解説 ❅❅

1 (1)について、通常、このような汚泥を生活排水の溜ます汚泥などと称しているが、これは一般廃棄物に該当するため、その処理を業として行おうとする場合には、許可を必要とする。

　なお、例えば、食堂、旅館等の事業所から排出される同種の汚泥は、産業廃棄物となり、その処理については産業廃棄物処理業の許可を要する。

2 (2)について、通常、このような臓器等は、研究等に用いられたり、医療機

関において処理されることにより排出されない場合も多く、また、排出されても、供養、埋葬する等の処置が行われ、廃棄物の処理として扱われない場合が多い。しかしながら、いわば不要物として排出された場合、これを処理料金をとって処理する行為は、感染性一般廃棄物の処理に該当するとすることが適切であるため、一般廃棄物処理業の収集運搬業、処分業の許可を要する。

なお、感染性一般廃棄物は感染性産業廃棄物と併せて処理することが可能であり、感染性産業廃棄物を処理できる特別管理廃棄物の収集運搬、処分業の許可を持った者が感染性産業廃棄物と併せて処理することは可能である。

★関係通知：平成４．８．13　衛環234　水道環境部長通知　「感染性廃棄物の適正処理について」

**質問144**　次のような場合、一般廃棄物処理業の許可は必要か。
　　Ａ市の委託業者がＢ市の区域内においてＡ市で発生した一般廃棄物を処理する場合

◎◎　回答　◎◎

　Ａ、Ｂ両市長の一般廃棄物処理業の許可とも不要である。

◎◎　解説　◎◎

　法第６条の２第２項の規定によって市町村の行うべき一般廃棄物の処理の委託を受ける受託者は、規則第２条の３第１号の規定により法第７条第１項の一般廃棄物の許可は不要である。

　ただし、令第４条第７号の規定により市町村が処分を委託する場合には、その処分の場所及び方法を指定することとなっており、この際、処分の場所としてＢ市内の地点を指定する場合には、Ｂ市における一般廃棄物処理計画との適合性等の観点から、Ｂ市と密接に連絡をとり、お互いの一般廃棄物処理計画に齟齬をきたさないよう十分に話合いをしておくことが必要である。（参照：質問52）

**質問145**　次のような場合、一般廃棄物処理業の許可は必要か。

> (1) 養豚業者が飲食店等から残飯を豚肉と交換で受け取り、これをすべて飼料にしている場合
> (2) 県の委託を受けて、県道及び県道側溝の清掃並びに土砂、石、ゴミなどの収集、運搬を業とする場合

❖❖ 回答 ❖❖
(1) 当該豚肉が、当該残飯の対価的性格を有していると認められる場合にあっては当該残飯は有価物であり、当該養豚業者は許可不要である。
(2) 県の委託を受けて一般廃棄物の収集、運搬を業として行う者は、一般廃棄物処理業の許可が必要である。

❖❖ 解説 ❖❖
1 (1)について、飲食店から排出される残飯と、これと交換される豚肉が対価的性格を有していれば、当該残飯は豚肉をもって実質的な売却代金を支払われているのであるから、有価物と認められ、一般廃棄物処理業の許可は不要である。ただし、この有償売却が形式的・脱法的なものであれば廃棄物処理法の対象となると判断できる場合がある。
2 (2)について、市町村より委託を受けて、一般廃棄物の処理を業として行う者が、市町村長の許可を要しないのは、市町村が一般廃棄物処理計画の策定者であるため、一般廃棄物処理業の場合に許可を通して行っている処理計画との整合性の確保がその委託に際してあらかじめ確保されていると考えられるからである。すなわち、県等の市町村以外の者は、一般廃棄物処理計画をはじめとする市町村の固有事務として行われる一般廃棄物処理に関する独特の立場にないものであり、したがって、県の委託を受けて一般廃棄物の処理を業として行おうとする者は、市町村長による一般廃棄物処理業の許可を要する。

★関係通知：昭和53.12.1　環計103　水道環境部計画課長回答

**質問146** 一般廃棄物収集運搬業の許可を申請した者が、一般廃棄物収集運搬業の許可要件である法第7条第5項の各号に適合している場合にも、許

可をしないことができるか。

>>> 回答 <<<
　一般廃棄物処理業の許可は、法第7条第5項の各号に適合している場合には、許可をしなければならない。

>>> 解説 <<<
1　法第7条第5項第1号及び第2号の判断については、個々の市町村の事情が考慮されることになる。
2　一般廃棄物処理業の許可は、市町村の策定する一般廃棄物処理計画に基づいて、当該市町村による処理が困難なものについてなされるものであり、この点において産業廃棄物処理業の許可とは異なる。
　★関係通知：平成4.8.13　衛環233　環境整備課長通知第1　4(5)

**質問147**　一般廃棄物収集運搬業、一般廃棄物処分業の更新許可に当たって、成年被後見人若しくは被保佐人又は破産者でない証明書、誓約書及び経理的基礎を証する書類の提出を求めることは必要ないか。

>>> 回答 <<<
　許可の更新に当たって、成年被後見人若しくは被保佐人又は破産者でない証明書、誓約書及び経理的基礎を証する書類の提出を求める必要はない。

>>> 解説 <<<
1　一般廃棄物の処理については、従来から市町村の固有事務として実施されてきており、一般廃棄物処理業は市町村が策定する一般廃棄物処理計画の下で許可してきた実績を有するものである。また、一般廃棄物処理業者の行う処理事業は、市町村がその固有事務として実施する一般廃棄物処理業の一環として、市町村を補完し、その信頼性・安定性が確保されているものである。
2　このようなことから、法第7条第2項又は第7項の許可の更新に当たって提出させる書類は、行政事務の簡素化の観点からも画一的に過大なるものとすべきでない。
3　また、許可の更新の申請が法第7条第5項各号又は第10項各号に適合して

いるかどうかの判断は、事業の実績を考慮して行うことが可能である。

★関係通知：平成5.3.11　衛環70　環境整備課長回答

## Ⅱ－2　許可の条件

------- 法令上の規定 -------
法第7条（一般廃棄物処理業）
11　第1項又は第6項の許可には、一般廃棄物の収集を行うことができる区域を定め、又は生活環境の保全上必要な条件を付することができる。

> **質問148**　法第7条第11項に基づき、一般廃棄物処理業の許可に次のような条件を付すことができるか。
> 　　積卸しは、市街地を避けること。

**回答**

申請者の事業計画上予定される積卸し方法を採れば市街地において適当な場所、施設の確保が困難である等生活環境保全上必要が認められる場合については、可能である。

**解説**

一般廃棄物処理業の許可の際に付すことができる条件は、生活環境の保全上必要な条件に限られているため、市街地における積卸しを避けることが生活環境保全上特に必要でない場合には、このような条件は付すことができないことに留意する必要がある。

## Ⅱ－3　特別管理一般廃棄物の処理

> **質問149**　一般廃棄物収集運搬業者又は一般廃棄物処分業者は、特別管理一般廃棄物処理基準に従い特別管理一般廃棄物の収集・運搬又は処分等を行うことができると解してよいか。

**回答**

可能である。

### 解説

　一般廃棄物、産業廃棄物の中にはそれぞれ特別管理一般廃棄物、特別管理産業廃棄物が含まれる。

　産業廃棄物の場合は産業廃棄物処理業と独立して、特別管理産業廃棄物処理業があるが、一般廃棄物の場合は一般廃棄物処理業（収集運搬業、処分業）しかなく、特別管理一般廃棄物処理業は独立していない。

## Ⅱ－4　許可の更新時期

**質問150**　一般廃棄物処理業の許可の更新の時期が年度末になるように、一般廃棄物処理業の協力を得て許可後2年未満であっても更新を早めて行うよう指導してよいか。

### 回答

　法律上の許可の有効期限は2年間とされているので、2年未満内の更新を指導することは慎重に行うべきであり、一般廃棄物処理業者と十分協議する必要がある。

### 解説

　業の許可期限までは処理業を行うことを認めているのであるから、権利を制限するのは好ましくない。

## Ⅱ－5　役員、政令で定める使用人

**質問151**
(1)　法第7条第5項第4号リの「役員」には、監査役、監事その他これに類する者が含まれると解してよいか。
(2)　申請者の使用人が、「政令で定める使用人」に該当するか否かの判断は、どうすればよいか。
(3)　(2)の当該「使用人」については、許可申請に係る地方公共団体の区域内に存する支店・事務所等に係る代表者に限ると解してよいか。

❦❦ 回答 ❦❦
(1) 含まれていると解する。
(2) 申請者の申告によればよい。
(3) 令第4条の7に定める使用人すべてであり、当該許可申請に係る地方公共団体の区域内に存する支店・事務所等に係る者に限定されない。

❦❦ 解説 ❦❦
1 法人に対して役員と同等以上の支配力を有すると認められる者は、欠格要件の適用に当たり役員と同等の取扱いとすることとしている。
　なお、業務を執行する社員に準ずる者としては、株式会社の監査役、公益法人・協同組合の理事・監事等である。
2 政令で定める使用人が欠格事由の対象となることとしているのは、一般廃棄物処理業者のより一層の資質の向上と信頼性の確保のためには、支配人、支店の代表者等のように実質的に役員と同等の支配力を有する者についても一定の要件を満たすようにすることが必要であるからである。

# Ⅲ　産業廃棄物処理業

## Ⅲ-1　許可を要する者の範囲

―――― 法令上の規定 ――――
令第6条の2第1号に規定する産業廃棄物処理業者その他産業廃棄物の処理を適正に業として営むことのできる者は、次のとおりである。
1　法第14条第1項、第6項（特別管理産業廃棄物は第14条の4第1項又は第6項）の許可を受けた者
2　法第14条第1項ただし書に規定する専ら再生、利用の目的となる産業廃棄物のみの処理を業とする者
3　規則第9条に規定する収集、運搬の許可を要しない者（国土交通大臣の許可を受け又は国土交通大臣に届け出て廃油処理事業を行う者、都道府県知事から再生利用指定を受けた者、広域処理が確実として環境大臣の指定を受けた者、国、広域臨海環境整備センター、日本下水

道事業団、産業廃棄物の輸入の運搬者、産業廃棄物の輸出の運搬者、食料品製造業からの牛の脊柱の運搬者、と畜場等の固形状の不要物の運搬者、牛の死体の運搬者）
4　規則第10条の3に規定する処分の許可を要しない者（国土交通大臣の許可を受け又は国土交通大臣に届け出て廃油処理事業を行う者、都道府県知事から再生利用指定を受けた者、広域処理が確実として環境大臣の指定を受けた者、広域処分が適当として環境大臣の指定を受けた者、国、広域臨海環境整備センター、日本下水道事業団）
5　規則第10条の11に規定する収集、運搬の許可を要しない者（国土交通大臣の許可を受け又は国土交通大臣に届け出て廃油処理事業を行う者、国、特別管理産業廃棄物の輸入の運搬者、特別管理産業廃棄物の輸出の運搬者）
6　規則第10条の15に規定する処分の許可を要しない者（国土交通大臣の許可を受け又は国土交通大臣に届け出て廃油処理事業を行う者、国）
7　法第13条の14に規定する支障の除去をする適正処理推進センター
8　法第11条第2項又は第3項に基づき産業廃棄物の処理をその事務として行う市町村、都道府県
9　と畜場法等の動物性固形不要物のみ処理する者

**質問152**　次のような場合、産業廃棄物処理業の許可は必要か。
(1)　地方公共団体が委託を受けて産業廃棄物の処理を行う場合
(2)　いわゆる廃棄物処理センターが産業廃棄物の処理を業として行う場合、また、地方公共団体の設置した産業廃棄物処理施設を廃棄物処理センターが借りて当該センターが産業廃棄物処理事業を行う場合
(3)　地方公共団体以外の者が設置するへい獣処理場において他人の産業廃棄物の処分を業として行う者

*▧▧* 回答 *▧▧*
(1)　法第11条第2項又は第3項に基づき、市町村又は都道府県が産業廃棄物処

理をその事務として行う場合には許可は必要ない。
(2) いずれの場合も許可が必要である。
(3) 許可が必要である。

※※ 解説 ※※

1　法第11条第1項では、事業者は、その産業廃棄物を自ら処理しなければならないと規定されているが、これは、必ずしも事業者が自らすべてを処理しなければならないことを意味するものでなく、令第6条の2に規定する事業者の産業廃棄物の運搬、処分等の委託の基準に従って委託することができる。

2　(1)について、市町村や都道府県が産業廃棄物の処理を行う場合であっても、法第11条第2項又は第3項に基づかない場合には、法第14条等に基づき都道府県知事の許可が必要となる。

3　(2)について、産業廃棄物の処理を適正に業として行うことのできる者は限定されており、これら以外の者はいわゆる廃棄物処理センターであっても許可は必要である。

　また、産業廃棄物処理施設の設置者が地方公共団体であっても、施設の設置許可は必要であり、事業を行う者が廃棄物処理センターである場合には、処理業の許可は必要となる。

4　(3)について、他人の産業廃棄物を処理し、かつ、規則第10条の3の産業廃棄物処分業の許可を要しない者に該当しないので、許可が必要である。

---

**質問153**　次のような場合、産業廃棄物処理業の許可は必要か。
(1) 親会社が子会社の産業廃棄物を無償で引き取り、自社の産業廃棄物と併せて処理する場合の親会社
(2) 事業者が産業廃棄物を処理する目的で子会社を設立して当該事業者が排出する産業廃棄物を処理する場合の子会社

---

※※ 回答 ※※

(1)、(2)ともに許可は必要である。

※※ 解説 ※※

1　親会社、子会社の関係にあっても、独立した法人同士であれば、その親会

社は他人の産業廃棄物の処理を業として行っているので、許可が必要である。
2 子会社が事業者と別の独立した法人格を有する者であれば、子会社が事業者の専属の下請けであっても、他人の排出した産業廃棄物の処理を業として行うのであるから、処理業の許可が必要である。

また、建設工事の場合には、排出事業者は元請業者だけであるので、いわゆる下請業者が建設廃材等の産業廃棄物を処理する場合には処理業の許可が必要となる。
3 なお、処理業の許可は人格に対しての許可であるので、処理に当たって、基本的に人格が変われば許可が必要となる。

**質問154** 次の各事例の場合、産業廃棄物処理業の許可の取扱いはどうすべきか。
(1) 産業廃棄物処理業の許可を受けている個人業者Aが中心となり会社Bを設立し、以後BがAの場合と全く同じ内容の産業廃棄物処理業を行おうとする場合
(2) 産業廃棄物処理業の許可を受けている株式会社Eが、産業廃棄物処理業の許可を持たない株式会社Fと合併した後の株式会社Gが、Eと全く同じ内容の産業廃棄物処理業を行おうとする場合

**回答**
(1) Bは産業廃棄物処理業の許可を新たに受ける必要がある。
(2) 合併後の新会社Gに対しEが存続会社の場合は許可は不要、Eが消滅会社の場合は許可が必要である。

**解説**
1 (1)について、AとBは法律上別個の人格であるから、Bは産業廃棄物処理業の許可を新たに受ける必要がある。

なお、Aは個人としての業を廃止するのであるから、法第14条の2第3項又は法第14条の5第3項で準用する法第7条の2第3項に規定する業の廃止の届出を行う必要がある。
2 (2)について、合併後の新会社GがFの消滅を伴うEの吸収合併として成立

した場合（Eが新会社Gの存続会社の場合）には、GはEに与えられていた許可をもって業を行うことができ、法第14条の2第3項又は法第14条の5第3項で準用する法第7条の2第3項の規定に基づく変更の届出が必要である。

また、新会社GがE、F両者の消滅を伴ういわゆる新設合併である場合及び新会社GがEの消滅を伴うFの吸収合併として成立した場合（Eが消滅会社の場合）には、Gは、従前Eが受けていた許可をもって業を行うことはできず、新たな産業廃棄物処理業の許可が必要であり、法第14条の2第3項又は法第14条の5第3項で準用する法第7条の2第3項の規定に基づく廃止の届出を行う必要がある。

**質問155** 次のような場合、産業廃棄物処理業の許可は必要か。
Aの設置する工場の構内で、Aが排出する産業廃棄物を別法人Bが収集、運搬及び処分している場合。なお、Bは当該工場の場外では、一切、産業廃棄物の処理を行っていない。

**◎◎ 回答 ◎◎**

Bは許可が必要である。

**◎◎ 解説 ◎◎**

Bの行為がAの設置する工場の構内でしか行われないとしても、他人の排出した産業廃棄物を業として処理するのであれば、当該業を行おうとする区域を管轄する都道府県知事の許可を受けなければならない。

**質問156** 事業者が自らその産業廃棄物を処理する場合において、その業務に直接業務に従事する者は、当該事業者との間に直接の雇用関係が必要か。

**◎◎ 回答 ◎◎**

当該事業者がその産業廃棄物について、企画・調整及び指導を行っており、当該事業に対する指揮権、産業廃棄物処理施設の使用権限及び維持管理の責任を有し、法に定める排出事業者責任が当該事業者にある場合には、その業務に直接業務に従事する者は、当該事業者との間に直接の雇用関係は必要ない。

※※ 解説 ※※

1 次の(1)から(5)の要件をすべて満たす場合には、当該事業者との間に直接の雇用関係は必要ない。
 (1) 当該事業者がその産業廃棄物の処理について自ら総合的に企画、調整及び指導を行っていること。
 (2) 処理の用に供する処理施設の使用権限及び維持管理の責任が、当該事業者にあること（令第7条に掲げる産業廃棄物処理施設については当該事業者が法第15条第1項の許可を取得していること）。
 (3) 当該事業者が業務従事者に対し個別の指揮監督権を有し、業務従事者を雇用する者との間で業務従事者が従事する内容を明確かつ詳細に取り決めること。
   またこれにより、当該事業者が適正な廃棄物処理に支障を来すと認める場合には業務従事者の変更を行うことができること。
 (4) 当該事業者と業務従事者を雇用する者との間で、法に定める排出事業者に係る責任が当該事業者に帰することが明確にされていること。
 (5) (3)及び(4)についての事項が、当該事業者と業務従事者を雇用する者との間で労働者派遣契約等の契約を書面にて締結することにより明確にされていること。

2 事業の範囲としては、上記(3)に掲げる当該事業者による「個別の指揮監督権」が確実に及ぶ範囲で行われる必要があり、例えば当該事業者の構内又は建物内で行われる場合はこれに該当する者と解して差し支えないこと。また、当該事業者の構外又は建物外で行われる場合は、一般的には指揮監督権が及ぶとは認めることは難しいが、実質的に構内又は建物内と同等の指揮監督権が及ぶと認められる客観的要素があれば、適用可能である。
  ★関係通知：平成17.3 .25　環廃産発050325002　産業廃棄物課長通知　第3
     平成17.7 .4　規制改革通知に関するＱ＆Ａ集　平成25.6 .28改正

**質問157**　次のような場合、産業廃棄物処理業の許可は必要か。

> 複数の事業場を有する事業者が、各事業場から発生する産業廃棄物を一つの事業場に運搬して処分する場合

*※* 回答 *※*

許可は不要である。

*※* 解説 *※*

1　同一の事業者から発生する産業廃棄物を自ら収集、運搬、処分する場合は、自己処理に該当し、産業廃棄物処理業の許可は不要である。
2　なお、事業者が自ら処理する場合、法第12条（特別管理産業廃棄物の場合は、法第12条の２）第１項の収集、運搬及び処分の基準、同条第２項の保管の基準を遵守しなければならない。

**質問158**　次のような場合、産業廃棄物処理業の許可は必要か。
> 農家が運び込んだ廃ビニールを農業協同組合が保管し、産業廃棄物処理業者に引き渡す場合

*※* 回答 *※*

1　農業協同組合が自ら廃ビニールの保管及び引渡しを行う場合には、許可は必要である。
2　農業協同組合は、農家が廃ビニールの保管及び引渡しを行うための場所を当該農家に提供しているにすぎない場合には、許可は不要である。

*※* 解説 *※*

1　他人の産業廃棄物を保管し、又は第三者に引き渡す行為は、他人の産業廃棄物の収集、運搬（積替え保管行為を含む。）を業として行うことに該当し、原則として許可が必要である。
2　他人が産業廃棄物を保管し、又は産業廃棄物処理業者に引き渡すための場所を提供することは他人の産業廃棄物の処理に該当せず、許可は不要である。
　なお、この場合、賃貸契約等により使用権原を明確にしておく必要がある。

**質問159**　次のような場合、廃棄物処理業の許可は必要か。

購入した被覆電線を焼却し銅線を取り出し売却する場合

### 回答

当該被覆電線は有価物であり、廃棄物処理の許可は要しない。

### 解説

有価売却された物は、廃棄物ではなく、有価物であるので、その行為は単なる有価物の販売、購入であり、廃棄物処理業の許可は不要である。ただし、この有償売却が、形式的、脱法的なものであれば、廃棄物処理法の対象となると判断できる場合がある。

**質問160** 次のような場合、産業廃棄物処理業の許可は必要か。
　下水道管理者から下水管渠の清掃を委託された者が、清掃に伴って、排出された汚泥を自ら運搬する場合

### 回答

許可は必要である。

### 解説

1　清掃に伴って排出された産業廃棄物の排出者は、事業場の設置者又は管理者であり、清掃業者は清掃する前から事業場に発生していた産業廃棄物を一定の場所に集中させる行為をしたにすぎず、清掃業者が当該産業廃棄物を発生させたものではない。
2　下水管渠の清掃に伴って排出された汚泥は、下水道事業という事業活動に伴って発生した下水道管理者の産業廃棄物であり、清掃業者がこれを運搬する場合には、許可が必要である。

**質問161** 次のような場合、産業廃棄物処理業の許可は必要か。
　専ら再生利用の目的となる産業廃棄物を扱っている業者が、当該産業廃棄物を再生利用せずに直接処分している場合

### 回答

許可は必要である。

✍✍ 解説 ✍✍

　専ら再生利用の目的となる産業廃棄物（古紙、くず鉄（古銅業を含む。）、空き瓶類、古繊維をいう。）のみを扱っている業者が再生利用を目的として当該産業廃棄物を収集、運搬又は処分する場合には、法第14条第1項ただし書により、産業廃棄物処理業の許可は不要であるが、当該産業廃棄物のみを扱う業者であっても、当該産業廃棄物を再生利用せずに処分する場合には、この例外の適用はなく、許可は必要である。

> **質問162**　次のような場合、産業廃棄物処理業の許可は必要か。
> (1) 産業廃棄物を外国に輸出する場合、当該産業廃棄物を排出事業所から港まで運搬する業者、通関のために保管する業者及び外国へ運搬する海運業者
> (2) 海運業者が産業廃棄物を海上輸送する場合

✍✍ 回答 ✍✍

(1) 許可は必要である。
(2) 許可は必要である。

✍✍ 解説 ✍✍

1　(1)について、産業廃棄物を外国に輸出する場合であっても、国内において収集、運搬（積替え保管）を行おうとする場合には産業廃棄物処理業の許可が必要である。
　なお、産業廃棄物を国外へ輸出する場合には、環境大臣の確認を受けなければならないこととなっており、かつ、国内において適正に処理することが困難であること、国内における適正処理に支障を及ぼさない、相手国において、再生利用が確実であること、適正処理決定のため分析の用に供するものであること、産業廃棄物処理基準を下回らない処理が確実であることが必要となっている。また、申請者は都道府県、市町村又は自らの事業活動で発生したものを排出する事業者に限られている。
2　(2)において、海上輸送の場合は、出港地及び入港地を管轄する都道府県知事の収集、運搬の許可が必要である。
　ただし、通過する海域を管轄する都道府県知事の許可は不要である。

## 第6章　廃棄物処理業

> **質問163**　次のような場合、産業廃棄物処理業の許可は必要か。
> 　排出事業者Aの設置した産業廃棄物処理施設において
> (1)　Aが他の者Bの人員を雇用してAが維持管理する場合
> (2)　AがBに当該施設を賃貸してBがBの人員を使用して維持管理する場合

*※* 回答 *※*
(1)　AもBも許可は不要である。
(2)　Bは許可が必要である。

*※* 解説 *※*
1　(1)について、Aは、自ら排出した産業廃棄物を処理するのであるから許可は不要である。また、Aは、Bの人員をAの職員として雇用して施設の維持管理をするのであるから、当該人員の指揮監督はAが行うのであり、Bも許可は不要である。

2　(2)について、当該産業廃棄物の処理はBがBの人員を使用して行うものであり、AがBに処理を委託したのと同じ状態であるので、Bは許可が必要である。

> **質問164**　次のような場合、産業廃棄物処理業の許可は必要か。
> 　排出事業者から産業廃棄物を受け取って産業廃棄物の処理に関する試験を行う場合

*※* 回答 *※*
許可は不要である。

*※* 解説 *※*
1　産業廃棄物の処理に関する試験を行うと判断される場合の目安は、次のような点である。
　(1)　試験を行う者が排出事業者から処理料金を受領しないこと。
　(2)　試験に必要な最小限の産業廃棄物のみを処理すること。
2　また、産業廃棄物の処理に関する試験を行う者に対しては、次のような措

置をとることが必要である。
 (1) 事前に試験に関する計画を都道府県知事に提出させること。
 (2) 必要に応じて立入検査すること。
 (3) 試験が生活環境の保全上支障を生じさせる内容のものである場合は中止させること。

---

**質問165** 次のような場合、産業廃棄物処理業の許可は必要か。
 (1) 事業者が産業廃棄物を処理する目的で協同組合をつくって産業廃棄物を処理する場合
 (2) 町内会等法人格を有しない団体である場合

---

❀❀ 回答 ❀❀

(1) 協同組合が独立した法人として設立されている場合には、許可は必要である。
(2) 許可を受けることはできない。

❀❀ 解説 ❀❀

1 (1)について、事業者が自ら排出する産業廃棄物のみを処理することを目的として協同組合を作って産業廃棄物を処理する場合でも、独立した法人格を有する協同組合がその処理に当たる場合には、当該協同組合は他人の産業廃棄物の処理を業として行うことになるので、産業廃棄物処理業の許可が必要である。

2 (2)について、法人格を有しない団体は許可を受けることができないので、個人として許可の申請をすることになる。
　なお、規則第9条の2第2項第8号では、許可申請に際し、法人の場合には登記事項証明書を提出しなければならないと規定している。

---

**質問166** 次のような場合、産業廃棄物処理業の許可を受けることができるか。
 (1) 組合から産業廃棄物処理業の許可申請がなされたが、施設・人員は組合が有しておらず、組合員が有しているだけの場合
 (2) 全車両を賃借して産業廃棄物の収集、運搬業を行おうとする場合

### ◈◈ 回答 ◈◈

(1) 組合は許可を受けることはできない。
(2) 許可を受けることはできる。

### ◈◈ 解説 ◈◈

1 (1)について、産業廃棄物処理業を行おうとする者は、その事業の用に供する施設及び申請者の能力が規則で定める技術上の基準に適合しなければならず、組合が業を行おうとする場合には、組合員ではなく、組合自体がこの要件に適合していなければならない。

したがって、組合が処理施設に継続的な使用権原があることが契約書類上等で明らかでなければならず、本件のように組合員だけが施設・人員を有する場合には許可を受けられない。

なお、組合員が許可を有していたとしても、組合と組合員は法人格が異なるので、組合として産業廃棄物処理業を行うことはできない。

2 (2)について、法は、産業廃棄物処理業の許可の基準として事業の用に供する施設が規則で定める技術上の基準に適合しなければ許可をしてはならないと規定しているが、これは施設について所有権を有することまで要求するものではなく、継続的な使用権原を有しておれば足り、賃貸借契約が締結されているなど、当該施設（車両等を含む。）が事業の用に供されることが確実であれば、全車両を賃貸する場合でも許可は受けられる。

なお、他処理業者の車両とオペレーターを賃貸する場合は名義貸禁止の条項に抵触する場合があるので注意を要する。

---

**質問167** 次のような場合、産業廃棄物処理業の許可を受けることができるか。
(1) 銀含有写真廃液を排出事業者から有償購入して銀回収を行っている者が、「産業廃棄物処理業者から『たとえ有価物であっても事業場から排出されるものを産業廃棄物処理業者でない者が取り扱えば法に違反する』という風説を流されて事業を妨害されているので許可をとりたい。」として許可申請する場合
(2) 再生利用される排出事業者の不要としたガラス繊維くずは、法第14条

> 第1項ただし書に規定する専ら再生利用の目的となる産業廃棄物に該当し、これを専門に処理する者は処理業の対象とならないか。

❀❀ 回答 ❀❀

(1) 許可を受けることはできない。
(2) 処理業の許可の対象とならない。

❀❀ 解説 ❀❀

1 (1)について、法第14条第1項は、産業廃棄物の処理を行おうとする者は、許可を受けなければならない旨を規定したものである。

有価物は法の規制対象とする廃棄物ではないので、その処理を目的として業の許可を受けることはできない。

2 (2)について、法第14条第1項ただし書に規定する専ら再生利用の目的となる産業廃棄物は、古紙、くず鉄（古銅等を含む。）、空き瓶類、古繊維の4種類である。

再生利用されるガラス繊維くずは、空き瓶類に該当する。

したがって、再生利用されるガラス繊維くずを専門に取り扱っている既存の回収業者等は、法第14条第1項の許可の対象とならない。

> **質問168**
> (1) 金属含有物を排出事業者から有償購入して金属回収を行う者が、金属の市況が低下したために排出事業者から処理料金を受領する場合、当該者は処分業の許可が必要であると解してよいか。
> (2) 産業廃棄物処分業の許可を要しない者として、規則第10条の3第2号の県知事が指定した再生利用業者が、再生後に得られる有価物の市況が低下したために排出事業者から再生輸送費以上の金額の処理料金を受領することとなった場合、当該者は処分業の許可が必要であると解してよいか。

❀❀ 回答 ❀❀

(1)、(2)とも処分業の許可が必要である。

※※ 解説 ※※

　有価物で取引されていたものが、市況変動により、処理料金を取ることになれば、廃棄物を再利用することとなるので、産業廃棄物の許可が必要となる。

　処理業に当たるかどうか、有償購入費と運賃の差で判断される場合が一般的である。

質問169　廃油の収集運搬業の許可を有している者が廃油とおがくずをブルドーザを使って混合し、ふろ屋等へ運んでいるが、この混合する行為には中間処理の処分業の許可は必要か。

※※ 回答 ※※

　許可は必要である。

※※ 解説 ※※

1　収集運搬業の許可を受けている者が、簡単な手選別により金属くず等を分別する場合は、中間処理に該当しない。
2　しかし、設問の場合のように、ふろ屋の燃料とするために、廃油とおがくずを混合する行為は、処分業に該当する行為になるので、法第14条第6項に基づく許可が必要となる。

質問170　廃自動車、中古パソコン等の解体業者に係る許可

　廃自動車、中古パソコン等廃品の解体業者は、廃品を次の(1)(2)の形態により処分している。

(1)　排出事業者から廃品を搬入し、分解後、再利用可能な部品を売却、残りのうち場内で処分できる部分を中間処分、処分できないものを他者に委託する。この場合Aは中間処理業の許可のみ取得すればよいか。

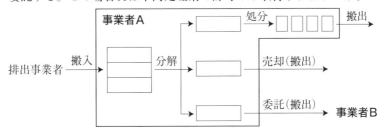

(2) 分解後、処理施設は一切通さず、すべて売却及び処理委託する。この場合、Aは積替・保管を含む収集運搬業の許可のみ取得すればよいか。

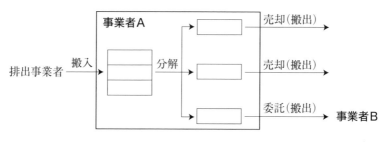

❀❀ 回答 ❀❀

いずれも貴見のとおり解して差し支えない。

❀❀ 解説 ❀❀

1 (1)について、受託内容たる処分を実施するための前処理として、分解を行い、売却できるものは売却し、自らが処分できないものは事業者Bに委託する。この場合、事業者Bに委託する廃棄物については事業者Aが処分した後の産業廃棄物である。このため、事業者Aは中間処分の許可のみ取得すればよい。

　また、混合廃棄物を搬入し、選別後に一部を処分、残りを売却及び処分する場合も同様、中間処分の許可のみで対応できる。

2 (2)について、分解や選別は「物理的、化学的又は生物学的な手段によって変化を与える行為」には該当しないため、処分には当たらず、搬入したものを処分せずすべて搬出しているので、積替・保管を含む収集運搬業の許可のみ取得すればよい。

★関係通知：平成15.2.13　環廃産90　産業廃棄物課長回答

**質問171**　次のような場合、どのように判断すればよいか。

　産業廃棄物を収集・運搬する過程において、当該物を一定期間留め置く行為は産業廃棄物の保管と解されるが、その場合、どの程度の期間留め置くことをもって保管と判断すればよいか。

### 🔖 回答 🔖

収集・運搬してきた車両から積替え地点以降の運搬の用に供される車両への廃棄物の積替え及び運搬が、連続して行われない限り、保管行為を伴うこととなる。

### 🔖 解説 🔖

1　排出事業者については、法第12条第2項により運搬までの保管の基準が定められているのに対して、処理業者の場合には保管に関する規定が定められていないことから、廃棄物処理法では原則として処理業者については保管行為は認めない趣旨であったと解せられる。
2　しかしながら、収集、運搬業における現実的な必要性を考慮し、積替え及び積替えに伴う一時的な保管は認めることとし、積替え保管行為を含むかどうか収集・運搬業の許可証に明記することとしている。
3　設問については、他の車両への廃棄物の積換え及び運搬が連続して行われない場合には、積替え保管行為を伴う収集・運搬であるとして、通常の収集・運搬との区別を明確にしておく必要がある。
4　令第6条第1項第1号ホにおいて、積替え保管場所における1日当たりの平均的な搬出量に7を乗じて得られる数量（処分の場合は14）を超えないようにすることと定められており、処分先が確実な場合のみ保管が認められている。

---

**質問172**

(1) 収集運搬業者が産業廃棄物の積替え・保管を行う場合、産業廃棄物の積み卸しを伴うものか。積替えを行わない保管のみの処理業の許可は可能か。
(2) 収集運搬業の許可基準である規則第10条第1号ロ又は第10条の13第1号ヘ積替施設には、産業廃棄物の積替えに伴い必要となる保管を行う場所も含まれると解してよいか。

---

### 🔖 回答 🔖

(1) 積替え・保管を行う場合は、積み卸しを伴う。保管のみの許可は出せない。

(2) 保管場所も含まれる。

❀❀ 解説 ❀❀

産業廃棄物を搬入し、保管場所で積替え・保管する場合には必ず積み卸しを伴う。

> **質問173** 次に掲げる方法により他人の産業廃棄物の積替作業を行う場合、当該作業を事業の範囲とする業の許可が必要と解してよいか。
> (1) 産業廃棄物を収納した運搬容器を運搬車から別の運搬車に積み替える作業
> (2) 産業廃棄物をバラ積みしてきた車両から取りおろした産業廃棄物を重機等を用いて他の車両に積み替える作業

❀❀ 回答 ❀❀

いずれも収集運搬業の許可が必要である。

❀❀ 解説 ❀❀

運搬効率の関係から、小型車から大型車への積替えなどが必要となる場合があり、車両間の積替作業は許可対象となる。

> **質問174** 廃棄物のコンテナ輸送の積替え・保管
> (1) 廃棄物のコンテナ輸送を行う過程で、飛散、流出のおそれのない水密性及び耐久性等を確保した密閉型コンテナを利用し、貨物駅又は港湾において、輸送手段を変更する作業は、令第6条第1項第1号に規定する積替え、保管に該当する行為か。
> 　なお、コンテナは滞留しないものとする。
> (2) 鉄道輸送の場合に、完全予約制により積載する列車・積載量等があらかじめ決まっているコンテナを、積載する予定の列車が到着するホームに置いて、数時間後に到着する列車への積み込みを待っている状態は滞留に当たらないと解してよいか。
> (3) 船舶が着岸する直前に積み込む予定のコンテナを埠頭に置いておくことは滞留に当たらないか。

## 回答

(1) 該当しない。
(2)、(3) 滞留に当たらない。

## 解説

1 産業廃棄物のコンテナ輸送とは、コンテナ(貨物の輸送に使用される底部が方形の器具であって、反復使用に耐える構造及び強度を有し、かつ、機械荷役、積重ね又は固定の用に供する装具を有するもの)であって、日本産業規格Z1627その他関係規格等に定める構造・性能等に係る基準を満たしたものに産業廃棄物又は産業廃棄物が入った容器等を封入したまま開封することなく輸送することをいうこと。

2 廃棄物のコンテナ輸送を行う過程で、貨物駅又は港湾において、輸送手段を変更する作業のうち、次の(1)及び(2)に掲げる要件のいずれも満たす作業については産業廃棄物のコンテナ輸送による運搬過程にあるととらえ、令第6条第1項第1号ハ若しくは第6条の5第1項第1号ロに規定する積替え又は令第6条第1項第1号ホ若しくは第6条の5第1項第1号ハに規定する保管に該当しないと解するものとすること。

(1) 封入する産業廃棄物の種類に応じて当該産業廃棄物が飛散若しくは流出のおそれのない水密性及び耐久性等を確保した密閉型のコンテナを用いた輸送において、又は産業廃棄物を当該産業廃棄物が飛散若しくは流出するおそれのない容器に密封し、当該容器をコンテナに封入したまま行う輸送において、輸送手段の変更を行うものであること。

(2) 当該作業の過程で、コンテナが滞留しないものであること。

3 コンテナの数が船舶に積み込める数を超えていなければ滞留には当たらない。

★関係通知:平成17.3.25　環廃産発050325002　産業廃棄物課長通知第1
　　　　　平成17.7.4　規制改革通知に関するQ&A集　平成25.6.28改正

**質問175** シュレッダー事業者が排出した自動車等破砕物(シュレッダーダスト)を中間処理業者Bがトロンメルにより選別し、後に残った残さについ

て、占有者Aはこの物を燃料として100円/tの単価で購入（運搬費の負担者は不明）し、4,000㎡程度積み上げ数か月間放置している。Aは食材生産に用いるためのボイラーを設置し、熱エネルギーを得ると主張している。

なお、Aは当該廃棄物に係る産業廃棄物処理業を有しない。

(1) 当該物は産業廃棄物に該当するか。

(2) 当該物を数か月放置している状態をもって、産業廃棄物の処分に該当するものとして、法第19条の5の規定に基づき占有者Aに対して当該物の撤去及び当該物の適正処理を行うことを命じることができるか。

(3) 中間処理業者Bが占有者Aに対して当該物を引き渡した行為は、法第12条第5項に違反するものとして、法第19条の5の規定に基づき、中間処理業者Bに対して、当該物を撤去の上適正に処理すべきことを命じることができるか。

### 回答

貴見のとおり解して差し支えない。

### 解説

1 (1)について、廃棄物に該当するか否かは、その物の性状、排出の状況、通常の取り扱い形態、取引価値の有無及び占有者の意思等を総合的に勘案して判断すべきものとされている。次の点から法第2条第4項に該当する産業廃棄物に該当する。

① その物の性状

外見上通常のシュレッダーダストと見分けがつかず、また、溶出検査によって有害物質の検出が認められた。

② 通常の取引形態

通常、シュレッダーダストは、選別後、管理型最終処分場に埋め立てられるか若しくは廃棄物焼却炉において焼却処理されており、本件地域では3万円/t程度とされている。現状国内ではシュレッダーダストから選別された廃プラスチック類などを燃料として使用した事例はない。

③ 取引価値の有無

当事者の真意及び実際の取引状況については不明ながら、AとBとの間

で締結された契約書によれば100円/tで売却することとなっているが、運搬費用は誰が負担しているか不明である。
　④　中間処理業者Bの意思
　　　当該物の性状、通常の取引形態等を考慮すると、Bが当該物を廃棄物と認識していなかったとは考えられない。
　⑤　占有者Aの意思
　　　Aは当該物を集積し、これを放置しているものであり、社会通念上合理的に認定し得る占有者Aの意思は、廃棄物を占有していると考えられる。
2　なお、平成12年7月24日付け衛環第5号及び衛産第95号をもって通知した「野積みされた使用済みタイヤの適正処理について」は、廃棄物処理法に規定する「廃棄物」の定義を明確化したものであり、使用済みタイヤ以外の物についても、それが「廃棄物」に該当するか否かを判断する際に準用できるものである。この通知では、廃棄物である使用済みタイヤが「長期間にわたりその放置が行われている」ことの判断基準として概ね180日以上との期間をあげているが、他の廃棄物についても当該期間が直接適用されるわけではないので、廃棄物の特性及び放置の状態等に照らし、180日以内であっても処分として行政処分を行うことは可能である。
3　(2)について、当該物を数か月放置している状態をもって、産業廃棄物の処分に該当する。
4　(3)について、占有者Aは当該廃棄物に係る産業廃棄物処理業を有しないにもかかわらず、中間処理業者Bが占有者Aに対して当該物を引き渡した行為は、他人の産業廃棄物の処理を業として行うことができない者に対して廃棄物の処理を委託したことになる。
　★関係通知：平成13.11.29　環廃産513　産業廃棄物課長通知

---

**質問176**　特別管理産業廃棄物の汚泥の収集運搬と特別管理産業廃棄物以外の汚泥の収集運搬とを業として行おうとする者は、産業廃棄物収集運搬業の許可と特別管理産業廃棄物収集運搬業の許可の両方を必要とすると解してよいか。

%% 回答 %%
両方の許可が必要である。
%% 解説 %%
通常の産業廃棄物と特別管理産業廃棄物とは、収集・運搬・処分等の基準、運搬・処分等の委託の基準及び処理業の許可制度を異にし、それぞれ別個の処理体系に基づいて処理される。

> **質問177** pH2.0以下の廃酸の収集運搬について、再生利用の個別指定をしているものがあるが、特別管理産業廃棄物収集運搬業の許可が必要であると解してよいか。

%% 回答 %%
特別管理産業廃棄物収集運搬業の許可が必要である。
%% 解説 %%
1 規則第9条第2号に産業廃棄物収集運搬業の許可を要しない者として、再生利用が確実であると都道府県知事が認め、都道府県知事の指定を受けた者が規定されている。
2 一方、規則第10条の11に特別管理産業廃棄物収集運搬業の許可を要しない者が規定されているが、再生利用の個別指定を受けたものは規定されていない。

> **質問178** 規則第10条の2の収集運搬業の許可証（様式第7号（令第6条の9第2号に掲げる者にあっては、様式第7号の2））には、当該許可証を交付する際、許可証以外に審査請求の教示を記載した許可指令書を交付することとしてもよいか。

%% 回答 %%
差し支えない。
%% 解説 %%
行政不服審査法（平成26年法律第68号）に基づく審査請求の教示の記載がないので、当該許可証を交付する際、許可証以外に当該教示を記載した許可指令

書を交付してもよい。

## Ⅲ－2　変更許可

**質問179**　次のような場合、事業の範囲の変更として法第14条の2第1項又は第14条の5第1項に規定する事業範囲の変更となるか。なお、この場合取り扱う産業廃棄物の種類については変更がない。
(1)　廃プラスチック類の焼却処理を業として行う産業廃棄物処分業者又は特別管理産業廃棄物処分業者（以下「処分業者」という。）が焼却方式の異なる施設を導入した場合
(2)　埋立処分を行う処分業者が最終処分場を増設した場合

**回答**
(1)、(2)とも法第14条の2第1項又は第14条の5第1項の事業範囲の変更の許可を受ける必要はない。

**解説**
1　事業の範囲の変更については、取り扱う産業廃棄物の種類に変更のない場合、次のように解する。
　(1)は焼却という中間処分の場合の焼却方式の変更、(2)は最終処分場の増設は事業の範囲としては変更なく、法第14条の2第1項又は第14条の5第1項の許可を受ける必要はない。
2　ただし、その場合でも事業の用に供する主要な施設並びにその設置場所及び主要な設備の構造又は規模の変更に該当するので、法第14条の2第3項又は第14条の5第3項で準用する法第7条の2第3項の規定による変更の届出を行う必要があることに注意する必要がある。
3　なお、産業廃棄物処理施設に該当する場合は、改めて施設の設置許可又は変更許可が必要な場合があるので注意を要する。

**質問180**　法第14条第11項又は第14条の4第11項に基づき許可の条件として取扱い数量を制限して許可した産業廃棄物処理業者が取扱い数量の制限を

変更しようとする場合、当該者は事業の範囲の変更許可を必要とするか。

❄❄ 回答 ❄❄

当該取扱い数量の変更は、事業の範囲には該当しないので変更許可を必要としない。

❄❄ 解説 ❄❄

設問の変更内容は、事業の範囲には該当しないが、取扱い数量を変更するために主要な施設及び主要な設備の構造又は規模等の変更がある場合には法第14条の2第3項又は第14条の5第3項において準用する法第7条の2第3項の規定による変更届が必要となる場合がある。

また、これを取り扱う処理施設が産業廃棄物である場合は施設の変更許可が必要になる場合がある。

質問181　処理業者が、次に掲げる行為を行う場合にあっては、当該事業の廃止届を行い、新たに変更後の業務内容をもつ産業廃棄物処理業の許可申請を行わなければならないか。
(1)　取り扱う産業廃棄物の種類を追加又は変更すること。
(2)　新たな最終処分場を設置すること。

❄❄ 回答 ❄❄

いずれの場合にあっても業の廃止届及び新規の許可申請を行う必要はない。

ただし、(1)の場合にあっては、法第14条の2第1項又は第14条の5第1項の規定に基づく業の変更の許可申請をしなければならない。

また、(2)の場合にあっては、法第14条の2第3項又は第14条の5第3項において準用する法第7条の2第3項の規定に基づく届出を行わなければならない。

❄❄ 解説 ❄❄

1　産業廃棄物処理業の許可に係る事業の範囲とは、収集、運搬（積替え保管を含む又は積替え保管を除く。）及び処分（中間処理、埋立処分又は海洋投入処分）の別並びに取り扱うことのできる産業廃棄物の種類（又は特別管理産業廃棄物の種類）をいう。

(1)の場合のように、取り扱うことのできる産業廃棄物の種類が追加又は変更されることは、この事業の範囲の変更となる。したがって、法第14条の2第1項又は第14条の5第1項の規定が適用されることとなる。

なお、取り扱う産業廃棄物の種類を減らす場合は、事業の一部の廃止であるから、法第14条の2第3項において準用する法第7条の2第3項の規定に基づく届出を行うことになる。

2　産業廃棄物処理業者の住所、氏名又は名称及び法人にあっては、その業務を行う役員、事務所及び事業場の所在地、事業の用に供する主要な施設並びにその設置場所及び主要な設備の構造又は規模を変更したときは、その旨を都道府県知事に届け出なければならない。

(2)の場合は、主要な施設である最終処分場の設置場所、設備の構造及び規模を変更することになるため、法第14条の2第3項において準用する法第7条の2第3項の規定が適用されることとなる。

なお、新規処分場の設置に当たっては、施設の設置許可が必要となる。

**質問182**　トラックを使って収集、運搬を行っている産業廃棄物収集運搬業者が新たに船を使って、従来運搬していたのと同種の産業廃棄物を運搬しようとしているが、これは業の変更許可に係らしむるべきか、あるいは施設の変更届出の対象とすべきか。

**回答**

法第14条の2第3項において準用する法第7条の2第3項の規定に基づく事業の用に供する主要な施設の変更届出により対処すべきである。

**解説**

産業廃棄物の収集運搬業者がその収集・運搬手段を変更するのは、法第14条の2第1項又は第14条の5第1項の事業範囲の変更には当たらず、規則第10条の10第1項第4号における事業の用に供する主要な施設の変更に該当する。

**質問183**　次のような場合、どのように判断すればよいか。

産業廃棄物収集運搬業の許可取得者が新たに同一産業廃棄物の積替え保

管行為をも実施する場合、法第14条の2の規定に基づく産業廃棄物処理業の変更許可申請手続きを要するのか。

❀❀ 回答 ❀❀

「事業の範囲」の変更に該当するものであるので、法第14条の2に基づく許可の変更を要する。

❀❀ 解説 ❀❀

1　法第14条の2は、産業廃棄物処理業として、既に業を行っている者が事業の範囲の変更を行おうとするときの許可について定めたものである。また、法第14条の2第3項の規定による法第7条の2第3項の準用とは、産業廃棄物処理業に関して、氏名又は名称、所在地、主要な施設及び主要な設備に関する変更があった場合、又は事業の全部又は一部を廃止した場合には、都道府県知事等に届け出ることを規定したものである。

2　収集・運搬業に積替え保管行為が含まれるか否かは、「事業の範囲」として記載しなければならない事項であるから、設問の事例は、法第14条の2に基づき許可を受けなければならない。

★関係通知：昭和60.7.26　衛産42　産業廃棄物対策室長回答

## 質問184

(1)　法第14条第1項の収集運搬業の許可を有する者が、許可の更新申請と併せて、取り扱う産業廃棄物の種類を追加しようとする場合、当該申請は法第14条第2項の規定による更新許可申請となるのか、又は法第14条の2第1項の規定による変更許可申請となるのか。

(2)　法第14条の2第1項の変更許可を行った場合、当該変更後の当該業者に係る法第14条第1項の許可に係る法第14条第2項の更新期間の起算日は、当該変更許可を行った日と解してよいか。

❀❀ 回答 ❀❀

(1)　法第14条第2項及び法第14条の2第1項の両方の許可申請が必要である。
(2)　変更前の法第14条第1項の許可を行った日を起算日とする。

❆❆ 解説 ❆❆

　更新期間5年のサイクル（優良産業廃棄物処理業者は7年）で対応。変更許可は内容の変更のみで、変更した時点の更新残り期間が継続され、新たにカウントされず、申請前の許可期間となる。

---

**質問185**

(1)　許可の更新の場合の申請書及び許可証は新規の場合と同じ様式を用いるものと解してよいか。

(2)　規則第10条の2に規定する様式第7号許可証等の「許可の更新又は変更の状況」の欄の記載内容は何か。

---

❆❆ 回答 ❆❆

(1)　同じ様式である。

(2)　更新の年月日、変更の年月日及びその内容を記載する。

❆❆ 解説 ❆❆

　(1)について、様式第6号（産業廃棄物収集運搬業許可申請書）
　　　　　　　様式第7号（産業廃棄物収集運搬業許可証）
　　　　　　　様式第8号（産業廃棄物処分業許可申請書）
　　　　　　　様式第9号（産業廃棄物処分業許可証）

等が示されており、新規と更新が共通の様式となっている。

---

**質問186**

(1)　産業廃棄物処分業において、法第14条第2項の更新の期間は、当該許可業者の有する処理施設の能力を勘案して5年よりも短くすることは可能か。

(2)　最終処分場を使用して処分業を営む者について、当該最終処分場に係る他法令の許可期限が短期間（3年）である場合においても、許可の更新期間は5年であると解してよいか。

---

❆❆ 回答 ❆❆

(1)　短くすることはできない。

(2) 更新期間は5年である。

*** 解説 ***

令第6条の9で、産業廃棄物処分業の更新期間は5年と定められている。

> **質問187** 収集運搬業の許可を受けたものであって、所在が不明なものについて、許可更新期限を過ぎても当該更新の手続きが行われない場合、当該者に係る許可は、当然効力を失うものと解してよいか。

*** 回答 ***

効力を失う。

*** 解説 ***

法第14条第2項に政令で定める期間（5年）ごとにその更新を受けなければ、その期間の経過によって、その効力を失うと定められている。

> **質問188** 更新期限が到来するよりもはるかに早く更新許可申請を提出してきた場合、更新許可を行ってよいか。また、その場合、当該更新許可の次の期限は、当該更新許可から5年と解してよいか。

*** 回答 ***

早く更新許可を行ってもよい。また、次の更新期限は更新許可から5年である。

*** 解説 ***

1 更新期間5年は許可を受けたものの権利であり、許可申請者の意志により、権利を制限することとなる。
2 更新期間は5年である。

> **質問189** 法第14条第2項又は第14条の2第1項の規定に基づき、法第14条第1項の許可の更新又は変更を行った場合、既に交付している許可証に当該更新又は変更に係る事項を書き加えることとしてよいか。

*** 回答 ***

いずれも新しい許可証を交付することとされたい。なお、新しい許可証の「許可の更新、変更の状況」の欄に更新又は変更の状況を記載した上で交付す

ることとされたい。

*** 解説 ***

規則第10条の2、第10条の6により、許可証を交付しなければならない。

## Ⅲ-3　許可手続き

> 質問190　農地を賃貸して最終処分場用地とし、産業廃棄物の埋立処分業許可申請を行う場合には、規則第9条の2第2項第3号により農地法（昭和27年法律第229号）上の許可に関する書類を提出する必要があるか。

*** 回答 ***

必要である。

*** 解説 ***

1　産業廃棄物処理業の許可を申請する場合においては、当該許可に係る事業を適法に行うことができる旨の証明をする必要があり、業の用に供する土地が借地の場合には、申請者が当該土地を使用する権原を有することを証する書類を添付することが規則により規定されている。

2　したがって、当該土地が農地であれば、農地法上の手続きを終えていることを示す書類を添付する必要がある。

なお、他法令と産業廃棄物処理法の許可との関係については、昭和61年5月10日付厚生省産業廃棄物対策室長通知により次のような取扱いが示されている。

> 1　許可の時期について
> 　廃棄物の処理及び清掃に関する法律第14条第6項に規定する産業廃棄物処分業の許可は、許可申請者が、技術上の基準に適合し、かつ、適法に使用することができる施設を現に所有し、又は使用する権原を有していることを確認した後において行うものとすること。
> 　したがって、産業廃棄物処分業の許可のうち、中間処理業又は最終処分業にかかるものにあっては、他法の手続きを終えていないために処理施設を使用できない状況にある場合は、当該業の許可を出すことはできないこと。

> **質問191** 借地して埋立処分を行うという内容の産業廃棄物処分業の許可申請が出された場合、当該許可申請者と地主との間で交わされた借地契約が正当なものかどうかの確認を行うために、地主に対して法に基づき文書等による確認を行うことが可能か。

❀❀ 回答 ❀❀

法を根拠として、地主に一定の行為を要求することはできない。

❀❀ 解説 ❀❀

1 埋立処分業の許可申請者が、規則第9条の2第2項第3号において、当該土地の使用権原を有することを証する書類の提出を義務付けられているのは、都道府県知事等が、申請者に埋立処分業を的確に遂行する能力があることを確認するためであり、申請者は自ら、その能力があることを証明しなければならないものである。

2 したがって、申請者に当該土地の使用権原があることをより確実に確認するために、第三者である地主に証明させることは望ましいことではあるが、法を根拠として地主に証明書類等の提出を求めることはできない。

> **質問192** 産業廃棄物処理業及び特別管理産業廃棄物処理業の許可基準である「経理的基礎」の判断基準は何か。

❀❀ 回答 ❀❀

処理業の許可の基準において示される「経理的基礎」についての判断は、以下によること。

1 申請者が法人である場合には、事業の開始に要する資金の総額及びその資金の調達を記載した書類、貸借対照表、損益計算書並びに法人税の納付すべき額及び納付済額を証する書類（確定申告書の写し及び納税証明書）の内容を十分審査し、事業を的確に、かつ、継続して行うに足りる経理的基礎を有するか否かを判断すること。

2 申請者が個人である場合には、事業の開始に要する資金の総額及びその資金の調達を記載した書類、資産に関する調書並びに所得税の納付すべき額及

び納付済額を証する書類（確定申告書の写し及び納税証明書）の内容を十分審査し、事業を的確に、かつ、継続して行うに足りる経理的基礎を有するか否かを判断すること。
3　事業の開始に要する資金の総額とは、事業の開始及び継続に必要と判断される一切の資金をいうものであって、資本金の額のほか、事業の用に供する施設の整備に要する費用、最終処分場の埋立処分終了後の維持管理に要する費用、損害賠償保険の保険料などが含まれるものであること。
4　資金の調達を記載した書類には、資本金の調達方法、借入先、借入残高、年間返済額、返済期限、利率など資金の調達に関する一切の事項を記載させるものとし、利益をもって資金に充てるものについてはその見込み額を記載させること。
5　廃棄物処理業以外の事業を兼業している場合には、できる限り廃棄物処理部門における経理区分を明確にして書類を提出させること。
6　事業を的確かつ継続して行うに足りる経理的基礎を有すると判断されるためには、利益が計上できていること又は自己資本比率が1割を超えていることが望ましいものと考えられる（少なくとも債務超過の状態でないことが相当である。）が、なお、以下に留意して判断されたいこと。
　⑴　事業の用に供する施設について、法定耐用年数に見合った減価償却が行われていること、役員報酬が著しく少なく計上されていないことなどを確認すること。
　⑵　中間処理業者にあっては、未処理の廃棄物の適正な処理に要する費用が積み立てられていることなどを確認すること。
　⑶　利益が計上できているか否かについては、過去3年間程度の損益平均値をもって判断することとし、欠損である場合にあっても直前期が黒字に転換しているか否かを判断すること。
　⑷　自己資本比率が10％を超えない場合であっても、少なくとも債務超過の状態でなく、かつ、持続的な経営の見込み又は経営の改善の見込みがあるときは、容認される余地があること。
　⑸　多額の設備投資を要する場合にあっては、設備投資の当初に利益を計上

できないことが多いことから、減価償却率に応じた損益の減少などを勘案して判断すること。

(6) 申請に係る事業の規模が大きい場合や申請者の自己資本に比して多額の設備を有するなど、申請に係る事業の将来の見通しについて適切な収益が見込まれるかの確認が特に必要と認める場合の確認方法としては、当該事業の開始に要する資金の総額及びその資金の調達方法に記載した書類として、設備投資に要する資金の額が当該申請者の資金調達額と当期純利益の合計額を超えないか否かについて確認できる事業収支計画書の提出を求める方法などがあること。

なお、申請に係る事業について、その将来の見通しについて適切な収益が見込まれない場合や審査対象を廃棄物処理部門又は事業全体に係る将来の見通しに限定することが不適切な場合は、適宜、審査対象を廃棄物処理部門又は事業全体に係る将来の見通しに拡大することが可能であること。

また、当期純利益とは、申請者の事業全体の当期純利益ではなく、当該申請に係る事業の当期純利益をいい、その算出に当たっては一般管理費や各種税金等の申請に係る事業のみからでは算定できない費用について、申請者の事業全体に係るこれらの費用から対象とする事業範囲に応じて按分して算出すること。

(7) 維持管理積立金、各種税金、社会保険料又は労働保険料等の義務的支払いが履行されていない場合、当該法人の経理的基礎に疑義があると解されることから、これらの義務支払いが履行されていないとの情報を入手した場合には、(6)に準じた方法により慎重に経理的基礎を判断すること。

(8) 経理的基礎を有さないと判断するに当たっては、金融機関からの融資の状況を証明する書類、中小企業診断士を必要に応じて提出させ、また、商工部局、労働経済部局などの協力も求めるなどして、慎重に判断すること。

★関係通知：平成25.3.29　環廃産発13032910　産業廃棄物課長通知

質問193　産業廃棄物処理業の許可申請に当たって、「経理的基礎」に係る添付書類としては、有価証券報告書を活用することは可能か。

第 6 章　廃棄物処理業

*** 回答 ***
　申請者が直前の事業年度における金融商品取引法（昭和23年法律第25号）第24条第1項に基づく有価証券報告書を作成しているときは、有価証券報告書の当該部分のみの写しを添付することとして差し支えない。

*** 解説 ***
　産業廃棄物処理業及び特別管理産業廃棄物処理業の許可及び産業廃棄物処理施設の設置許可に当たって、経理的基礎の判断基準の充実及び明確化を図る一環として、申請者が直前の事業年度における金融商品取引法第24条第1項に基づく有価証券報告書を作成しているときは、従来の経理的基礎に係る添付書類（直前3年の各事業年度における貸借対照表、損益計算書並びに法人税の納付すべき額及び納付済額を証する書類）並びに定款又は寄付行為及び登記簿の謄本に代えて、当該有価証券報告書を申請書に添付することとしたこと。この際、有価証券報告書には、証券取引法に基づき、定款、計算書類、最近2連結会計年度に係る連結財務諸表の添付が定められているところ、有価証券報告書の当該部分のみの写しを添付することとして差し支えないこと。

　★関係通知：平成16.4.1　環廃産発040401006　産業廃棄物課長通知　第2　2

> **質問194**　産業廃棄物処理業の許可に関し、法第14条第5項第2号ニに規定する「その業務を行う役員」には、法人の監査役、監事その他これに類する者は含まれるか。

*** 回答 ***
　含まれている。

*** 解説 ***
1　産業廃棄物処理業の許可に当たっては、法第14条第5項第2号の規定により申請者（申請者が法人であるときは、その業務を行う役員を含む。）が、次のイからへのいずれにも該当しないこと。
　　イ①　心身の故障によりその業務を適切に行うことができない者
　　　②　破産者

③ 禁錮以上の刑で5年を経過しない者
④ ・廃棄物処理法、浄化槽法、公害関係法規違反で罰金以上の刑で5年未経過
　・暴力団員による不当な行為の防止等に関する法律違反で罰金刑以上で5年を経過しない者
　・刑法（傷害、現場助勢、暴行、凶器準備集合、脅迫、背任）、暴力行為等処罰に関する法律（集団的暴行・脅迫、常習的暴行・脅迫）で罰金以上の刑で5年を経過しない者
⑤ 廃棄物処理法（重大な違反のみ）、浄化槽法の営業許可取消5年を経過しない者
⑥ 一般廃棄物処理業、産業廃棄物処理業、浄化槽清掃業の許可取消しに係る聴聞通知後、処分決定までに、廃業届出をした者で届出日から5年を経過しない者
⑦ ⑥の取消しに係る聴聞通知前60日以内に役員等であった者で取消日から5年を経過しない者
⑧ 不正、不誠実な行為のおそれのある者
ロ　暴力団員等（暴力団員でなくなった日から5年を経過しない場合を含む。）
ハ　未成年で法定代理人が「イ、ロ」に該当
ニ　法人で役員が政令使用人（本・支店の代表者、契約締結権限を有する者）のうち「イ、ロ」に該当
ホ　個人で政令使用人のうち「イ、ロ」に該当
ヘ　暴力団員等がその事業活動を支配する者

2　会社の会計等の監査を職務とする監査役・監事は、欠格要件の適用対象となる「その業務を行う役員」に含まれるものである。

**質問195**　法第7条第5項第4号ホに定める「業務を執行する社員」、「これらに準ずる者」、「法人に対し業務を執行する社員、取締役、執行役又はこれらに準ずる者と同等以上の支配力を有するものと認められる者」とは、具体的にどういう者か。

## 回答

1 「業務を執行する社員」とは、合名会社又は合資会社の業務を執行する権利を有し義務を負う社員をいうこと。
2 「これらに準ずる者」とは、株式会社の監査役、公益法人・協同組合の理事、監事等をいうこと。
3 「法人に対し業務を執行する社員、取締役、執行役又はこれらに準ずる者と同等以上の支配力を有するものと認められる者」とは、法人の業務を執行する権限はないものの、法人に対する実質的な支配力を有する者をいい、例えば、相談役や顧問といった名称を有する者、法人に対して多額の貸金を有することに乗じて法人の経営に介入している者又は一定比率以上の株式を保有する株主又は一定比率以上の出資をしている者等が典型的には想定されること。会社法に規定する会計参与については、法人の業務を執行する権限及び法人に対する支配力を有しない機関であってもその職務の権限を越えて実質的に支配力を有する場合も想定され、この場合には当該会計参与は法上の役員に該当し得ること。

★関係通知：平成25.3.29　環廃産発1303299　産業廃棄物課長通知「行政処分の指針について」

> **質問196** 法第14条第5項第2号ヘにおける欠格用件に「法人で暴力団員等が事業活動を支配するもの」とあるが、具体的な内容は何か。

## 回答

産業廃棄物処理業、特別管理産業廃棄物処理業、産業廃棄物処理施設の許可において、次の事由がある場合に欠格用件に該当すると考えられる。
1 　暴力団員の親族（事実上婚姻関係にある者を含む。）又は暴力団員若しくは、暴力団員と密接な関係を有する者が、役員等であることのほか、多額の出資又は融資を行い、事業活動に相当程度の影響力を有していること。
2 　暴力団員等が、事業活動への相当程度の影響力を背景にして名目のいかんを問わず、多額の金品その他財産上の利益の供与を受けていること、売買、請負、委任その他の多額の有償契約を締結していること。

★関係通知：平成12.9.28　衛環78　環境整備課長通知　第11　2

**質問197**　産業廃棄物収集運搬業者又は特別管理産業廃棄物収集運搬業者（以下「収集運搬業者」という。）が車両を変更する場合、法第14条の2第3項又は第14条の5第3項において準用する法第7条の2第3項の変更の届出は必要か。

**※※ 回答 ※※**

必要である。

**※※ 解説 ※※**

収集運搬業者にとって、使用する車両は「事業の用に供する主要な施設」に該当し、規則第10条の10第1項第4号又は第10条の23第1項第4号に規定する事項である。したがって、それを変更するときは、変更の届出が必要となる。

**質問198**　特別管理産業廃棄物収集運搬業の許可基準の施設に係る基準の規則第10条の13第1号ハの感染性廃棄物に関して、「保冷車その他の運搬施設」とは、例えば、距離の短い運搬のみを受託するため、運搬中に廃棄物の性状が変化せず、かつ、感染性病原体が増殖する等のおそれがない場合には、保冷設備のない運搬施設でもよいと解してよいか。

**※※ 回答 ※※**

運搬中に廃棄物の性状が変化せず、かつ、感染性病原体が増殖する等のおそれがない場合には、保冷設備のない運搬施設でもよい。

**※※ 解説 ※※**

令第6条の5第1項第1号イの基準を遵守できる施設（運搬容器に収納。運搬容器は密閉できること・収納しやすいこと・損傷しにくいこと。）であることが必要であること。

**質問199**　特別管理産業廃棄物処分業（埋立処分）の許可基準の施設に係る基準（規則第10条の17第2号イ）(2)に掲げる周辺の地下水水質検査の設備は、具体的に何か。

※※ 回答 ※※

観測井、採水器具等をいう。

※※ 解説 ※※

地下水について、定期的に水質検査を行うための採水設備である。

> **質問200** 特別管理産業廃棄物処分業の許可基準の施設（埋立処分を除く。）に係る基準（規則第10条の17第1号イ）に規定する「分析することができる設備」については、
> (1) 特別管理一般廃棄物及び特別管理産業廃棄物に係る基準の検定方法（平成4年厚生省告示第192号）で定める方法による分析が行える設備でなければならないか。
> (2) トリクロロエチレン等の再生業に係るものについての設備はどのような設備であると解してよいか。

※※ 回答 ※※

(1) 取り扱おうとする特別管理産業廃棄物の種類に応じ、当該告示に定める方法による分析が行える設備でなければならない。
(2) ガスクロマトグラフ設備又はこれと同等以上の分析性能を有する設備である。

> **質問201** 特別管理産業廃棄物処分業の許可基準の申請者の能力に係る基準（規則第10条の17第1号ロ）に規定する「分析を行う者」の資格とは具体的に何か。

※※ 回答 ※※

「分析を行う者」の資格とは次のとおりとする。
1 学校教育法に基づく大学（短期大学を除く。）、旧大学令に基づく大学又は旧専門学校令に基づく専門学校において、理学、医学、薬学、衛生学、工学、農学若しくは獣医学の課程又はこれに相当する課程を修めて卒業した後、6か月以上水質検査又はその他の理化学検査の実務に従事した経験を有する者
2 衛生検査技師又は臨床検査技師であって、6か月以上水質検査又はその他

の理化学検査の実務に従事した経験を有する者
3　学校教育法に基づく短期大学又は高等専門学校において、理学、薬学、工学、農学の課程又はこれに相当する課程を修めて卒業した後、1年以上水質検査又はその他の理化学検査の実務に従事した経験を有する者
4　1、2又は3に掲げる者と同等以上の知識及び技能を有すると認められる者

> **質問202**　前問、前々問の「性状の分析を行う設備」及び「性状の分析を行う者」は、それぞれ申請者の処理施設内の設備、申請者の雇用人でなければならないか。

◈◈ 回答 ◈◈

「性状の分析を行う設備」については、申請者の処理施設内の設備であることが必要である。「性状の分析を行う者」は、申請者の雇用人であることが望ましいが、申請者が日常的に必要な分析を支障なくかつ遅滞なく行うことができるならば、例えば申請人が法人である場合の当該法人の関連会社の雇用人が施設に常駐することでも差し支えない。

> **質問203**
> (1)　特別管理産業廃棄物処分業の許可基準の施設（埋立処分を除く。）に係る基準（規則第10条の17第1号イ）等の「性状を分析することができる設備」と埋立処分に係る基準（同条第2号イ）の「量及び性状を管理できる附帯設備」の違いは何か。
> 　産業廃棄物処理施設維持管理の基準（規則第12条の6）第1号の「受け入れる際の分析」は、特別管理産業廃棄物についてのみ行えばよいか。
> (2)　特別管理産業廃棄物処分業の許可基準の施設に係る基準（規則第10条の17第2号のイ）(1)における「受け入れる特別管理産業廃棄物の量及び性状を管理できる附帯設備」には、規則第10条の16第3項第1号（特管産廃処分業許可申請の分析設備の概要）の設備が含まれると解してよいか。

## 回答

(1) 規則第10条の17第1号イ等の「性状を分析することができる設備」は、特別管理産業廃棄物を適正に中間処理又は再生するために必要な、成分等の分析を行うことができる設備をいい、同条第2号イの「量及び性状を管理できる附帯設備」は最終処分場に受け入れる特別管理産業廃棄物の計量及び成分分析を行い、かつ、その記録を保存・管理することのできる設備をいう。

　また、産業廃棄物処理施設維持管理の基準（規則第12条の6）第1号の「受け入れる際の分析」は特別管理産業廃棄物についてのものに限らず、無害な産業廃棄物についても、例えば汚泥の含水率、廃油の発熱量、廃液の水素イオン濃度等、当該処理施設における産業廃棄物の処理を適正に行うために必要な分析を含む。

(2) 含まれる。

---

**質問204**　ポリ塩化ビフェニルの運搬について

(1) ポリ塩化ビフェニル廃棄物の運搬容器は「密閉できることその他ポリ塩化ビフェニルの漏洩を防止するために必要な措置が講じられていること」となっているが、その他の必要な措置とは何か。

(2) 廃ポリ塩化ビフェニル等の収集又は運搬を業として行う場合は、応急措置設備等及び連絡設備が必要とされている。具体的内容は何か。

---

## 回答

(1) 「その他ポリ塩化ビフェニルの漏洩を防止するために必要な措置が講じられていること」とは、密閉できることのほか、運搬容器が所要の空間容量を有すること、ポリ塩化ビフェニル廃棄物の性状に応じた吸収剤が使用されていること等の措置が講じられていることをいうこと。

(2) 「応急措置設備」とは、運搬中の衝突、火災等の事故に伴うポリ塩化ビフェニル廃棄物の飛散、流出又は地下への浸透により生活環境の保全上の支障が生じないよう応急の措置を講ずるために備え付けるものであり、保護衣、吸収材等といったポリ塩化ビフェニル廃棄物の流出等を防止する際に用いる器具、消火器等のほか、応急措置の内容を記載した書類等をいうものである

こと。

「連絡設備等」とは、ポリ塩化ビフェニル廃棄物の収集又は運搬の状況を随時確認するとともに、事故等の緊急時に関係者に対して速やかに通報し、その被害及び影響を最小限とするために備え付けられるものであり、電話、無線機、全地球測位システム（GPS）、緊急連絡先を記載した書類等をいうものであること。

★関係通知：平成16．4．1　環廃対発040401008・環廃産発040401005　廃棄物・リサイクル対策部長通知　第1　3、4

**質問205**　廃棄物収集運搬業許可の合理化に係る許可について
(1)　収集運搬業者がA県内ではb市のみ、D県内ではe市のみで収集運搬業を行おうとする場合には、誰の許可を取る必要があるのか。
(2)　一の政令市の区域を越えて収集運搬を行う業者が、同一政令市内のみで積み下ろす行為はA県の許可のみで足りるか。
(3)　一の政令市の区域を越えて収集運搬を行う意志はあるが、実際に受託した収集運搬がb市に限られる場合、A県の許可のみで足りるか。
(4)　A県許可（金属くず、積替えなし）とb市許可（がれきについては積替えあり、金属くずについては積替えなし）を受けている収集運搬業者がb市内において金属くずの運搬を行う場合、監督は誰が行うのか。
(5)　A県の積替えありの許可を受けた場合、b市及びc市での積替えを伴わない収集運搬は可能か。
(6)　A県の積替えなしの許可とb市の積替えありの許可を受けた場合、c市での積替えを伴わない収集運搬は可能か。
※b市及びc市は、A県内の政令市、e市は、D県内の政令市

**回答**
(1)　b市及びe市の許可をとる必要がある。
(2)　A県の許可のみで足りる。
(3)　A県の許可のみで足りる。
(4)　b市が行う。

(5)(6)　可能

※※ 解説 ※※

1　(1)について、合理化措置の対象は、あくまでも、同一都道府県内において一の政令市の区域を越えて収集運搬業を行おうとする者の許可であり、A県及びD県内では、それぞれ一の政令市の区域内において収集運搬業を行っている。

2　(2)について、一の政令市の区域を越えて収集又は運搬を行っているか否かは、個々の行為ではなく、許可を受ける者が行おうとする業全体として判断される。

3　(3)について、一の政令市の区域を越えて収集又は運搬を行っているか否かは実際に行った収集運搬行為ではなく、許可を受ける者が行おうとする業全体として判断される。

4　(4)について、積替えを行う区域において業として行われる収集運搬業については、従前のとおりの扱いとなる。

★関係通知：平成22.12.17　廃棄物・リサイクル対策部産業廃棄物課事務連絡

---

**質問206　親子会社による一体処理**

親子会社が一体的な経営を行っている場合、都道府県知事の認定を受ければ、当該親子会社は、産業廃棄物の許可を受けないで、相互に親子会社間で産業廃棄物の収集・運搬・処分を一体として処理ができる（法第12条の7）。認定対象及び活用について、具体的にはどういうものか。

---

※※ 回答 ※※

1　一体的な経営を行う事業者の基準（規則第8条の38の2）

二以上の事業者のいずれか一の事業者（親会社）が、他の事業者（子会社）全てについて、次のいずれにも該当する。

①　当該二以上の事業者のうち、他の事業者（子会社）の発行済み株式、出資口数又は出資価格の3分の2以上保有していること。

②　当該二以上の事業者のうち、他の事業者（子会社）に対し、業務を執行

する役員を出向させていること。
③　当該二以上の事業者のうち、他の事業者（子会社）は、かつて同一の事業者であって、一体的に廃棄物の適正処理を行ってきたこと。

認定対象範囲イメージ

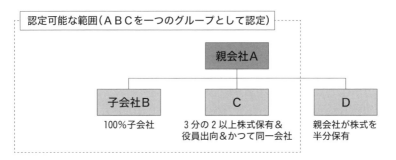

2　収集、運搬又は処分を行う事業者の基準（規則第8条の38の3）
①　認定グループ内の産業廃棄物の処理について計画を有しており、その中で処理を行う事業者として位置付けられていること。

②　親会社の統括的な管理体制の下で、認定に係る産業廃棄物の処理を行う事業者であること。

③　認定グループ外の産業廃棄物の処理を処理業者として処理する場合は、それぞれ区分して行うこと。

第6章　廃棄物処理業　197

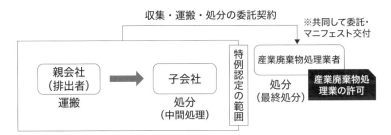

④　認定グループ外の者に当該認定に係る産業廃棄物の処理を委託する場合は、共同して委託を行うとともに、マニフェストを交付すること。

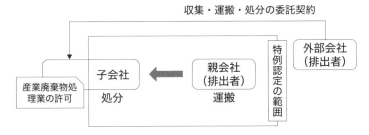

⑤　知識及び技能を有すること。
⑥　経理的基礎を有すること。
⑦　欠格要件等に該当しないこと。
⑧　基準に適合する施設を有すること。

★関係通知：平成30．3．30　環循適発18033010・環循規発18033010　環境再生・資源循環廃棄物適正推進課長・廃棄物規制課長通知

## Ⅲ－4　許可申請添付書類

**質問207**　処理業の許可申請に当たって、規則に定める書類又は図面以外の書類又は図面を申請書に添付するよう指導したところ、その提出を拒否された。このことを理由として、当該申請を受理せず又は受理後不許可とすることができるか。

💨 回答 💨

当該書類又は図面の提出拒否の事実のみをもって、許可申請を不受理又は受

理後不許可とすることはできない。

◎◎ 解説 ◎◎

　法令等で定める以外の書類に関し、許可申請の法定上の添付必要要件でないものを要求し、提出しないことを理由に不許可にはできない。

> **質問208**　産業廃棄物収集運搬業者、産業廃棄物処分業者、特別管理産業廃棄物収集運搬業者及び特別管理産業廃棄物処分業者の許可のうち二以上のものを同時に申請する場合、定款、決算書等の許可申請書に添付すべき書類であって共通するものはそれらの業の申請のうちの一つに添付されていれば、他の申請書については省略を認めてもよいか。

◎◎ 回答 ◎◎

　省略を認めてよい。

◎◎ 解説 ◎◎

　ただし、申請書は、それぞれの業の許可申請ごとに必要であり、かつ、添付書類を省略する申請書には、当該書類に係る添付書類の表題と省略の理由を明記した文書を添付させる必要がある。

　★関係通知：平成４.８.13　衛環233　環境整備課長通知第２　６(2)

> **質問209**　処理業の許可の申請書の手数料欄は何を記載するのか。

◎◎ 回答 ◎◎

　収入証紙等の貼付又は手数料受領印押印等に使用されたい。

> **質問210**　産業廃棄物（特別管理産業廃棄物）収集運搬業の許可申請における規則第９条の２第１項第４号又は第10条の12第１項第４号について、
> (1)　「事業の用に供する施設」とはどのようなものか。駐車施設はこれに該当するか。
> (2)　「施設の平面図」等は、車両や運搬容器の構造を明らかにする写真をもって示すことも差し支えないか。

## 回答

(1) 運搬車、運搬容器、運搬船その他の運搬施設をいい、駐車施設もこれに該当する。
(2) 差し支えない。

> **質問211** 既に他の都道府県で収集運搬業を行っている者が、収集運搬業の許可を申請してきたが、既に他の都道府県で使用している施設を用いるので、事業の開始に際して新たな資金を必要としないとしている。この場合は、規則第9条の2第2項第5号又は第10条の12第2項の準用の事業の開始に要する資金に関する書類には、どう明記すればよいか。

## 回答

新たな資金は必要としない理由を明記すれば足りる。

## Ⅲ－5　許可条件

> **質問212**
> (1) 埋立処分の処分業の許可を与える場合、申請書に記載した処理施設以外には処理施設を設置しない旨の条件を法第14条第11項又は第14条の4第11項の規定（生活環境の保全上必要な条件）により付すことができるか。
> (2) 法第14条第11項の規定に基づき、法第14条第1項の許可に際し、「処分に適する施設を有しなくなったときは、当該事業を廃止すること」を生活環境の保全上必要な条件として付すことはできるか。

## 回答

(1) そのような条件は、一般には法第14条第11項又は法第14条の4第11項に規定する生活環境の保全上必要な条件とは認められず、付すことはできない。
(2) できない。

## 解説

生活環境の保全上必要な条件に生活環境と直接関係のないような条件を付す

ことはできないし、条件としては、この条件を付さないと生活環境を保全できない、守れないといった条件でなければならない。

> **質問213** 法第14条の3に定める事業の停止の要件の第1号に、違反行為に対し「要求、依頼、唆し、助け」が、要件に該当するが、具体的にはどのような場合か。

❀❀ 回答 ❀❀
1 「要求」とは、他人に違反行為をすることを求めることをいい、相手方に違反行為をする意志を生じさせる必要はない。
2 「依頼」とは、他人に違反行為をすることを頼むことであって、相手方には違反行為をする意志がある場合をいう。
3 「唆し（そそのかし）」とは、他人に違反行為を誘い勧めることをいい、違反行為をする意志のない相手方にその意志を生じさせる場合をいう。
4 「助け」とは、他人に違反行為をすることを容易にすることをいう。

❀❀ 解説 ❀❀
それぞれの具体例は次のとおりである。
「要求」：安定型産業廃棄物であると称してそれ以外の産業廃棄物の埋立処分を安定型最終処分場に委託
「依頼」：無許可業者に不法投棄を依頼
「唆し」：最終処分業者に最終処分が終了していないにもかかわらず、それが終了した旨の虚偽の記載をして産業廃棄物管理票の写しを送付することを唆し、最終処分業者がそれに応じた場合
「助け」：収集運搬業者が無許可業者の事業場まで運搬する場合
★関係通知：令和3．4．14　環循規発2104141　廃棄物規制課長通知　第2　2(1)

> **質問214** 住民の同意を得ることを廃棄物処理業の許可要件とできるか。また、当該同意が得られないことをもって当該許可申請を受理しないことができるか。

※※ 回答 ※※

いずれもできない。

※※ 解説 ※※

焼却施設、最終処分場の設置に際して、告示、縦覧、意見提出等の住民合意システムが定められており、住民同意は必要な許可要件となっていない。

なお、意見提出は生活環境影響に関する利害関係者のみであることに留意されたい。

> **質問215** 許可の条件として、法第14条第11項又は法第14条の4第11項の生活環境保全上必要な条件とは具体的にどういうものがあるか。

※※ 回答 ※※

具体的には、例えば、収集運搬業については、その運搬経路又は搬入時間帯を指定すること、中間処理業については、中間処理に伴い生ずる排ガス、排水等の処理方法を具体的に指定することなどが考えられる。

※※ 解説 ※※

法第14条第11項又は法第14条の4第11項の生活環境保全上必要な条件は、申請者に対して、法に規定する基準を遵守させ、かつ、生活環境保全上の支障を生じさせるおそれのないようにするための具体的な手段、方法等について、付すものであること。

★関係通知：平成12.9.29　衛産79　産業廃棄物課長通知　平成18.9.4改正

## Ⅲ-6　欠格要件

> **質問216** 欠格要件（法第7条第5項第4号ハ）について、次の用語の意味は何か。
> (1) 「罰金以上の刑」
> (2) 「刑の執行を終わり」
> (3) 「刑の執行を受けることがなくなった」

※※※ 回答 ※※※

(1) 「罰金以上の刑」とは

　死刑、懲役、禁錮及び罰金の刑をいう（刑法第9条参照）。

(2) 「刑の執行を終わり」とは

　現実に刑の執行が完了した場合及び仮釈放を取り消されることなくして刑期を経過した場合をいう。

(3) 「刑の執行を受けることがなくなった」とは

　刑の執行の免除を受けた場合のことであり、刑の時効が完了した場合及び恩赦の一種として刑の執行の免除を受けた場合をいう（刑法第31条、恩赦法第8条参照）。

**質問217**　法第7条第5項第4号ハの規定は、刑の執行猶予の言渡しを受けた後、その言渡しを取り消されることなくして執行猶予の期間を経過した者にも適用されるか。

※※※ 回答 ※※※

　この者は、法第7条第5項第4号ハの規定が適用される。

※※※ 解説 ※※※

　執行猶予の制度は、刑の言渡しはするが、刑の執行は一定期間猶予し、猶予期間の満了した時点で、刑の言渡しの効果を消滅させる制度である。しかしながら、執行猶予期間を満了した者は、刑期とする懲役又は禁錮の執行を受けることがなくなった日において、刑の執行が終わったものとされることから、その執行を受けることがなくなった日から5年を経過しない間、同号ハの規定が適用される。

　★関係通知：令和3．4．14　環循規発2104141　廃棄物規制課長通知　「行政処分の指針について」

**質問218**　欠格要件（法第14条第5項第2号及び同条第10項第2号における準用する法第7条第5項第4号ハ）について、次の場合いつから当該条項に該当しない者となるか。

> (1) 平成8年9月1日に懲役6か月、執行猶予3年の刑が確定し、執行猶予の期間が経過した場合
> (2) 平成10年7月1日に刑に服し、平成10年11月30日に刑の執行が完了した場合

### ❆❆ 回答 ❆❆

(1) 執行の期間の経過した日の翌日（平成11年9月1日）
(2) 刑の執行が完了した日の翌日から5年を経過した日の翌日（平成15年12月1日）

> **質問219** 産業廃棄物処理業の許可における欠格要件として、おそれ条項があるが、具体的にどのようなものに適用できるか。

### ❆❆ 回答 ❆❆

　法第14条第5項第2号イ及び第10項第2号並びに法第14条の4第5項第2号及び第10項第2号による法第7条第5項第4号トの規定（以下「おそれ条項」という。）は、法第7条第5項第4号イからヘまで及び法第14条第5項第2号ロからヘまでのいずれにも該当しないが、申請者の資質及び社会的信用の面から、将来、その業務に関して不正又は不誠実な行為をすることが相当程度の蓋然性をもって予想され、業務の適切な運営を期待できないことが明らかである場合には、許可をしてはならないこと。具体的には、次のような者については、特段の事情がない限り、これに該当するものとして考えられること。
1　過去において、繰り返し許可の取消処分を受けている者
2　法、浄化槽法（昭和58年法律第43号）、令第4条の6各号に掲げる法令若しくはこれらの法令に基づく処分若しくは暴力団員による不当な行為の防止等に関する法律（平成3年法律第77号。以下「暴力団対策法」という。）の規定に違反し、又は刑法（明治40年法律第45号）第204条、第206条、第208条、第208条の2、第222条若しくは第247条の罪若しくは暴力行為等処罰ニ関スル法律（大正15年法律第60号）の罪を犯し、公訴を提起され、または逮捕、勾留その他の強制の処分を受けている者

3　法第7条第5項第4号ニに掲げる法令のうち生活環境の保全を目的とする法令又はこれらの法令に基づく処分に係る違反を繰り返しており、行政庁の指導等が累積している者
4　法第7条第5項第4号ホに掲げる法令又はこれらの法令に基づく処分に係る違反を繰り返しており、行政庁の指導等が累積している者
5　収集運搬業者が道路交通法（昭和35年法律第105号）に違反して廃棄物の過積載を行い、又は処分業者が廃棄物処理施設の拡張のために森林法（昭和26年法律第249号）に違反して許可を受けずに森林の伐採等の開発行為を行い、若しくは都市計画法（昭和43年法律第100号）や農地法（昭和27年法律第229号）に違反して開発許可や農地の転用の許可を受けずに廃棄物処理施設を設置するなど、廃棄物処理業務に関連して法令に違反し、繰り返し罰金以下の刑に処せられた者（なお、繰り返し罰金以下の刑に処せられるまでに至っていない場合でも、廃棄物処理業務に関連した他法令違反に係る行政庁の指導等が累積することなどにより、上記と同程度に的確な業の遂行を期待し得ないと認められる者については、下記8に該当すると解して差し支えないこと。）
6　自己、自社若しくは第三者の不正の利益を図る目的、又は第三者に損害を加える目的を持って、暴力団員を利用している者（例えば、自己又は自社と友誼関係にある暴力団の威力を相手方に認識させることにより、その影響力を利用するため、自己又は自社と友誼関係にある者が暴力団員であることを告げ、若しくは暴力団の名称入り名刺等を示し、又は暴力団員に対し暴力団対策法第9条各号に定める暴力的要求行為の要求を行った者）
7　暴力団員に対して、自発的に資金等を供給し、又は便宜を供与するなど直接的あるいは積極的に暴力団又は暴力団員であることを知りながら、自発的に用心棒その他これに類する役務の有償の提供を受け、又はこれらのものが行う事業、興行、いわゆる「義理ごと」等に参画、参加し、若しくは援助している者）
8　その他上記に掲げる場合と同程度以上に的確な業の遂行を期待し得ないと認められる者

★関係通知：平成25．3．29　環廃産発13032910　産業廃棄物課長通知

## Ⅲ－7　不許可処分

> **質問220**　事業の用に供する感染性廃棄物の焼却施設の構造が、血液や注射針が容易に火格子下に落下するおそれがある等当該感染性廃棄物が十分に焼却できないものと認められる場合、施設に係る要件を満たさないとしてよいか。

**回答**

許可の要件を満たさない。

**解説**

特別管理廃棄物の処分基準として、感染性廃棄物は当該感染性廃棄物の感染性を失わせる方法として環境大臣の定める方法（焼却等）により行うことと定められており、焼却して感染性を失わせることが基本である。

> **質問221**
> (1)　中間処理業の許可申請がなされた中間処理施設の所有権原について争いがあり訴訟中である場合、処分業（中間処理）の許可をすることができるか。
> (2)　中間処理業の許可申請がなされたが他人の所有する中間処理施設であり、申請者は継続的な使用権原も有していない場合、中間処理業の許可申請を不許可とすることができるか。

**回答**

(1)　申請者に中間処理施設の使用権原があることが法令上、契約書類上等で明らかであれば許可することができる。
(2)　不許可にすることができる。

**解説**

1　(1)について、申請者が民事訴訟の結果等により、将来、当該中間処理施設の所有権原を有しなくなるおそれがあるとしても、許可の時点で当該施設を

使用する権原があることが客観的に確認できれば許可することができる。
2 (2)について、中間処理業の許可申請者が、許可の時点において、当該申請に係る施設の使用権原を有しないと客観的に認められる場合は、法第14条第10項第1号及び規則第10条の4第2項第3号、規則第10条の5第1号のイに規定する施設の基準に適合していないとして不許可にすることができる。

> **質問222** 産業廃棄物収集運搬業（汚泥等）及び処分業（最終処分業）の許可申請があったが、申請者の使用する産業廃棄物の運搬車が最終処分場へ通ずる唯一の道路（町道）を通行することが車両制限令第6条第2項又は第9条に抵触するおそれがある場合、このことを理由に産業廃棄物処理業の許可を与えないことができるか。

❦❦ 回答 ❦❦

不許可処分にはできない。

❦❦ 解説 ❦❦

都道府県知事（指定都市又は中核市等にあっては、市長）は、法第14条第1項、第6項の許可申請が同条第5項、第10項に適合している場合には、当該申請の内容が他法令に抵触するおそれがあることを理由に不許可処分を行うことはできない。

★関係通知：昭和52.8.17 環計86 水道環境部計画課長回答

## Ⅲ-8 業の廃止

> **質問223** 産業廃棄物の最終処分場の廃止に伴い、埋立処分業の廃止届を提出させてよいか。

❦❦ 回答 ❦❦

業の廃止届を提出させることは不適当である。

❦❦ 解説 ❦❦

1 一般に、施設の廃止は、業の廃止に結び付くものではないので、埋立処分業の廃止届を出させることは不適当である。

2 ただし、当該施設の廃止後も引き続き当該事業の用に供する最終処分場の確保の見通し等諸般の事情を総合的に勘案して業の継続の意思がなくなったと認められる場合には、事業の廃止があったものとして、法第14条の2第3項又は第14条の5第3項において準用する法第7条の2第3項の規定による事業の廃止の届出の提出を求め、これに応じない者については、法第14条の3の2又は第14条の6の規定により許可取消しを命ずることができる。

> **質問224** 産業廃棄物の埋立処分業者が、排出事業者から埋立処分の委託を受けた産業廃棄物を埋め立てながら、一方で以前に埋め立てた産業廃棄物を最終処分場外に持ち出して、最終処分場の延命を図っているが、法に照らし、問題はないか。

※※ 回答 ※※

最終処分場からの産業廃棄物の持出しという行為は、令第6条に定める処分基準、法第14条第16項に定める再委託の禁止等、廃棄物処理法上の諸規定に従っているものであるならば、当該行為そのものは禁止されていない。

ただし、この際当該埋立処分業者が、持ち出した産業廃棄物の埋立処分を他人に任せると再委託禁止違反となる。

※※ 解説 ※※

1 産業廃棄物の埋立処分が完了するのは、最終処分場が廃止された時点である。
2 埋め立てられた産業廃棄物を廃止する以前に最終処分場から持ち出しても、当該産業廃棄物は、排出事業者から埋立処分の委託を受けた産業廃棄物であり、したがって処分基準の適用を受け、当該最終処分場と同型の最終処分場に埋め立てなければならない。

## Ⅲ-9　法違反

> **質問225** 排出事業者Aが、産業廃棄物収集運搬業者Bと契約を締結し、Bに対し収集運搬の委託を行った。

Bは、収集運搬業の許可申請時にBの従業員として届出をしているD（実際は雇用関係がなく別会社を経営し、収集運搬の許可なし）に収集運搬の指示をした。これを受けて産業廃棄物がDからCまで運搬され、Cにより処分された。
　この場合、Bは法第14条第16項違反であると解してよいか。

※※ 回答 ※※
1　収集・運搬許可業者Bについては、運搬の許可を受けていないDに対して運搬の再委託を行っていると解されるため、Bは法第14条第16項違反が成立する。
2　従業員でないDについては、収集運搬業の許可がないので法第14条第1項違反（無許可営業）が成立する。

※※ 解説 ※※
1　許可申請時に従業員としての届出があったとしても、実際に雇用関係のない者については、許可業者の従業員と見なすことはできない。したがってDは、無許可業者であり、法第14条第1項の規定に違反する。
2　また、事業者から委託を受けた産業廃棄物の運搬を他人に再委託する場合には、委託の範囲は事業者から委託を受けた内容に限定され、かつ、再委託先が当該産業廃棄物の収集又は運搬を業として行うことのできる者に限定されることが、法第14条第16項及び令第6条の12に規定されており、収集・運搬許可業者Bは、これに違反している。
3　なお、事業者から委託を受けた産業廃棄物の再委託については、その運搬のみを令第6条の12で定める基準に従って委託すること以外は禁止されている。

質問226　産業廃棄物の収集運搬業者Aが、仕事のあるときに限って、収集運搬の許可を持たないダンプ運転手B（ダンプ持込み）を1日常用名目で、産業廃棄物の運搬契約を締結し、産業廃棄物をBによって処分場へ運び処分させた場合、産業廃棄物の運搬契約が成立している場合は、Aは法第14

条第16項違反であると解してよいか。

❆❆ 回答 ❆❆

1　Bについては、産業廃棄物の運搬契約が成立している場合は、収集運搬許可業者Aの従業員とみなすことはできないので、従業員でない者（許可なし）に運搬の再委託を行っていると解せられ、収集運搬業者Aは法第14条第16項違反が成立する。

2　従業員でないBは、許可がなく法第14条第1項違反が成立する。

❆❆ 解説 ❆❆

収集・運搬許可業者Aは、たとえ形式的に無許可の者を雇用した形をとっても運搬契約が成立しているとみられる場合には、法第14条第16項違反が成立することになる。

**質問227**　事業者が無許可産業廃棄物処理業者とその産業廃棄物の収集運搬又は処分の契約は終了したが、まだ運搬又は処分行為の着手のない場合、事業者に対する違反は成立しないと解するがどうか。

❆❆ 回答 ❆❆

違反は成立していない。

❆❆ 解説 ❆❆

基準違反を問うためには、委託契約が締結されただけでなく、実際に委託が行われ産業廃棄物の運搬又は処分に係る行為が着手される必要がある。

★関係通知：昭和54.7.31　環産17　産業廃棄物対策室長回答　照会事項2

**質問228**　古い消火器を無償で回収交換し、新規消火器の販売をしているBから、古い粉末剤入り消火器の処分委託を受けたAが、Cのダンプカーと運転手を雇用し、運転手に同行して、消火器の収集運搬を行い、無許可処分業者Dの設置する処分場に搬入した。

　　Aは、一般廃棄物収集運搬業、産業廃棄物収集運搬業の許可を持たない。

(1)　粉末剤入り消火器について産業廃棄物の種類は何か。

(2)　Aは法第7条第1項及び第14条第1項違反と解してよいか。
　(3)　排出事業者Bは処理業の許可の有無及び事業の範囲を確認せず、文書による契約も行わなかった。法第12条第5項違反と解してよいか。

※※ 回答 ※※

(1)　産業廃棄物である金属くず（消火器本体）と廃プラスチック類（ホース、ノズル等）、一般廃棄物（粉末消火剤）の混合物
(2)　Aは無許可営業である。
(3)　産業廃棄物である廃プラスチック類及び金属くずについては、法第12条第5項違反である。
　★関係通知：平成7.2.9　衛産17　産業廃棄物対策室長回答

## Ⅲ－10　行政処分

**質問229**　処理業者が許可を得た後にその事業の用に供する施設が故障や老朽化等のため規則第10条（収集運搬業許可基準）、第10条の5（処分業許可基準）、第10条の13（特管収集運搬業許可基準）又は第10条の17（特管処分業許可基準）に定める基準に適合しない状態になるに至った場合、このことを理由に処理業の許可を取り消し、又はその事業の停止を命ずることができるか。

※※ 回答 ※※

　法第14条の3第2号及び第14条の3の2第2項の規定により施設の能力基準に適合しなくなった場合は、許可の取り消し等が可能である。

※※ 解説 ※※

　事業の用に供する施設については、産業廃棄物の種類に応じ、その処理に適する施設を有しなくなる場合（産業廃棄物処理施設の技術上の基準又は一般廃棄物の最終処分場及び産業廃棄物の最終処分場に係る技術上の基準を定める省令第2条第1項に定める技術上の基準に適合しなくなることを含む。）には、許可の取り消し要件に該当する。

★関係通知：令和3.4.14　環循規発2104141　廃棄物規制課長通知　第2
1

> **質問230**　法第14条の3第2号及び第14条の3の2第2項に規定する産業廃棄物処理業の許可の取り消し等の要件に「その者の能力が基準に適合しなくなった」とあるが、その内容は何か。

*** 回答 ***

能力については、産業廃棄物の処理を的確に行うに足りる知識若しくは技能、又は産業廃棄物の処理を的確かつ継続して行うに足りる経理的基礎を有しなくなることをいう。

*** 解説 ***

1　金銭債務の支払い不能に陥った者、事業の継続に支障をきたすことなく弁済期日にある債務を弁済することが困難である者、債務超過に陥っている法人等については、経理的基礎を有しないものと判断して差し支えない。
2　同様に、中間処理業者にあって未処理の廃棄物の適正な処理に要する費用が現に留保されていない場合や最終処分業者にあって埋立処分終了後の維持管理に要する費用が現に積み立てられていない場合についても、経理的基礎を有しないと判断して差し支えないこと。
　★関係通知：令和3.4.14　環循規発2104141　廃棄物規制課長通知　第2
2(2)②

> **質問231**　処理業者が自己の家屋を自ら解体して生じた廃棄物を不法投棄する等排出事業者としての違法行為をした場合、このことを理由に処理業の許可取消し、又はその事業の停止を命ずることができると解してよいか。

*** 回答 ***

許可取消し等の行政処分を行うことができる。

*** 解説 ***

1　法第14条の3又は第14条の3の2は、法第14条第1項又は第6項、第14条の4第1項又は第6項の許可を受けた者が、法又は法に基づく行政処分に違

反する行為をした場合にも、許可の取消し等の行政処分を行うことができる旨規定しているものであり、特に産業廃棄物処理業者の立場で法又は法に基づく処分に違反する行為をした場合に限定していない。

2 したがって、産業廃棄物処理業者に対しては、法又は法に基づく処分に違反する行為をした場合は、法第14条の3又は第14条の3の2に規定する行政処分を行うことができる。

> **質問232** 施設を設置する土地を地主から借りていた産業廃棄物処理業者が、許可後に地主から借地契約を解約され、施設の使用が不可能となった場合、このことを理由に処理業の許可を取り消し、又はその事業の停止を命ずることができるか。

❀❀ 回答 ❀❀

法第14条の3第2号又は第14条の3の2第2項の規定により施設の能力基準に適合しなくなった場合は、許可の取り消し等が可能である。

❀❀ 解説 ❀❀

事業の用に供する施設については、産業廃棄物の種類に応じ、その処理に適する施設を有しなくなる場合（産業廃棄物処理施設の技術上の基準又は一般廃棄物の最終処分場及び産業廃棄物の最終処分場に係る技術上の基準を定める省令第2条第1項に定める技術上の基準に適合しなくなることを含む。）には、許可の取り消し要件に該当する。

★関係通知：令和3.4.14 環循規発2104141 廃棄物規制課長通知 第2 2(2)①

> **質問233** Aは、L県で産業廃棄物処理業の許可を受けているとともに、M県N町で一般廃棄物処理業の許可を受けている。AがN町で一般廃棄物の不法投棄を行った場合、許可取消し又はその事業の停止を命ずることができるか。

❀❀ 回答 ❀❀

産業廃棄物処理業の許可取消し又はその事業の停止を命ずることができる。

※※ 解説 ※※
　法第14条の3又は第14条の3の2の行政処分は、産業廃棄物の処理に関する法又は法に基づく処分の違反に限定するものではないので、産業廃棄物処理業の許可を受けた者が、許可を受けた一般廃棄物の処理に関して法に違反する行為を行った場合には、産業廃棄物処理業の許可取消し等の処分を行うことができる。

> **質問234** 法人Aの役員aが欠格要件に該当したことにより、法人Aの許可が取り消され、法人Aの役員bが別法人Bの役員も兼ねていた場合に、法人Bは許可を取り消されるところ、法人Bの役員cが更に別の法人Cの役員を兼ねていた場合の法人Cの許可も取り消すべきか。

※※ 回答 ※※
　法人Cの許可は取消されない。なお、役員b及び法人Bの許可取消し（一次連鎖）も悪質性が重大な取消要因に限定されている。

※※ 解説 ※※
1　これまでは、役員a及び役員bがその役員を務める法人Aがあり、役員bが法人Bの役員を兼務している場合において、役員aが欠格要件に該当した場合、法人Aは欠格要件に該当して許可が取り消されることになる。さらに法人Aの役員b及び役員bがその役員を兼務する法人Bも欠格要件に該当して許可を取り消され、同様の事由で当該役員が兼務する他の法人についても許可の取消しが連鎖することとなっていた。
2　平成22年度改正により、許可取消処分を受けた法人Aの役員を兼務する役員bがその役員を務めていることにより法人Bの許可が取り消される場合は、廃棄物処理法上の悪質性が重大な許可取消原因に該当する場合に限定された。
3　重大な許可取消原因に該当する場合とは、具体的には、法第7条の4第1項（第4号を除く。）若しくは第2項若しくは第14条の3の2第1項（第4号を除く。）若しくは第2項（これらの規定を法第14条の6に読み替えて準用する場合を含む。）の規定により許可を取り消された場合又は浄化槽法第41条第2項の規定により許可を取り消された場合であること。

★関係通知：平成23.2.4　環廃対発110204005・環廃産発110204002　廃棄物対策課長・産業廃棄物課長通知　第2　1

## Ⅲ－11　帳簿記載義務

**質問235**　産業廃棄物の処理に関し、法第14条第17項又は第14条の4第18項（法第7条第15項の準用）に規定する事項を記載した伝票を綴じて保存している場合は、同項にいう帳簿を備えたこととなるか。

**回答**

当該伝票が帳簿の一部として使用することを予定されているものであれば、伝票を綴じて保存していることによって帳簿を備えたものと解する。

**解説**

この帳簿について、法第7条第15項は独立した帳面であることまで求めているものではなく、規則第2条の5に規定するような業務内容が記録され、適正な処理が行われていることが確認できるようにしておくというのがその趣旨である。したがって、帳簿の形にこだわる必要はないと考えられるので、伝票が、必要事項を記載しており、帳簿の一部として使用することが予定されているものであれば、これを綴じて保存していることにより帳簿を備えていることになる。

## Ⅲ－12　委託基準

**質問236**　汚泥の脱水の中間処理業を行っている中小企業協同組合が二つあるが、この二つが中小企業等協同組合法（昭和24年法律第181号）に基づいて合体し、一つの連合会を作った。この連合会が汚泥の排出事業者から汚泥処理の受注をし、その処理をどちらか適当な協同組合に委ねる場合、法第12条第5項の委託基準違反となるか。

なお、連合会は一つの法人格を持つが、連合会自身には処理能力はない。

※※ 回答 ※※

　連合会が単に排出事業者と処理業者たる協同組合との間のあっせんを行っているだけで実際の処分委託は当事者間で行われるのであれば、法第12条第5項に違反するものではない。

※※ 解説 ※※

1　事業者は、その産業廃棄物の処理を他人に委託する場合には、他人の産業廃棄物の処理を業として行うことのできる者であって、当該委託しようとする産業廃棄物の処理の業務をその事業の範囲に含むものに委託しなければならない。

　事業者は、委託に当たって、委託先の事業の範囲を確認し、適法な委託を行う必要がある。したがって、ある産業廃棄物の収集運搬のみを業として行うことのできる者に対し、当該産業廃棄物の処分をも併せて委託することはできない。処分を業として行うことのできる者に委託する場合であっても、その者が委託しようとする産業廃棄物の処分の内容をその事業の範囲に含む者でなければ委託できない。

2　排出事業者がどの処理業者に処理を委託したかどうかは、処理契約の内容で判断することになる。

3　この場合は、連合会は、排出事業者と中小企業協同組合間の処理委託契約の仲介（あっせん）をしているにすぎないので、委託基準違反とはならない。なお、法第14条第16項の再委託の禁止の場合にも同様のことがいえる。しかし、連合会が委託契約の当事者であれば、当然に無許可営業になる。

**質問237**　建設廃材の埋立処分業者Aは、自らの最終処分場を廃止した後、他の最終処分場を確保する意思及びその見通しを全く有しないので、都道府県知事から廃業するようにとの指導を受けていた。ところが排出事業者Bは、このような事情を熟知しているにもかかわらず、Aに建設廃材の埋立処分を委託し、その結果Aがその建設廃材を不法投棄してしまった場合、法第12条第5項の委託基準違反となるか。

※※ 回答 ※※

このような場合には委託基準違反となる。

※※ 解説 ※※

1　法第3条第1項により、排出事業者は、自らの事業活動に伴って生じた廃棄物を適正に処理しなければならない責任を負っている。
2　BはAが他人の産業廃棄物の処分を業として行うことができる状態ではないことを熟知して処分を委託したものであり、委託基準違反となる。
3　なお、このような場合は早い時期に処理業の許可取消処分を行うことが望ましい。

---

**質問238**　排出事業者Aと収集運搬業者B、処分業者C等の間で次のような形で産業廃棄物の処理委託が行われた場合、法第12条第5項の委託基準違反となるか。

(1)　AはBと運搬委託契約を、またCと処分委託契約を締結し、産業廃棄物がBにより他の処分業者Dへ運搬され、Dにより処分された場合

(2)　AはBと運搬委託契約を、またCと処分委託契約を締結し、産業廃棄物がBにより無許可処分業者Eへ運搬され、Eにより処分された場合

(3)　AはBと運搬委託契約及び処分委託契約を締結し、産業廃棄物がBによりCへ運搬されCにより処分された場合

(4)　AはBと運搬委託契約及び処分委託契約を締結し、産業廃棄物がBによりEへ運搬され、Eにより処分された場合

---

※※ 回答 ※※

(1)及び(2)の場合にあっては、BがCまで運搬しなかったことが、運搬委託契約の内容に起因している場合は、Aは法第12条第5項の委託基準違反となる。

(3)及び(4)の場合、Aは法第12条第5項の委託基準違反となる。

また、(2)、(4)の場合Eについては法第14条第6項違反（無許可営業）となる。

なお、(1)〜(4)の場合はBは法第14条第16項（再委託）違反となる。

※※ 解説 ※※

1　(1)について、Bは運搬委託契約に基づき、Cに運搬しなければならない義

務を負っている。再委託する場合は、Aから書面による了解を受ける必要がある。

　なお、CがCと同じ許可を有する他の処分業者Dに委託した場合で、Aの書面による了解があれば、法第14条第16項の再委託の禁止に違反することにならない。

2　(2)について、Bは、(1)と同様の義務を負っているが、Bは無許可業者への再委託である。
3　(3)について、Aは、収集運搬業者Bに処分までを委託したのであるので、委託基準違反となるが、Aの文書による了解があれば問題はない。
4　(4)について、(2)と同様である。

**質問239**　排出事業者Aがその産業廃棄物の収集運搬業者Bの許可証は確認したが、Bが中心となってつくった会社（株式会社）D（無許可処理業者）とその産業廃棄物の運搬だけでなく処分まで契約し、Dがその産業廃棄物をCの設置する産業廃棄物処理施設（中間処理施設又は最終処分場）に搬入し、Cが中間処理又は最終処分場に着手した場合（ただし、AとCの間の処分契約はないものとする。）、法第12条第5項の委託基準違反となるか。

※※　回答　※※
Aは委託基準違反となる。

※※　解説　※※
1　Bが中心となってD会社をつくったとしても、BとDは別人格であるので、Bが許可業者であっても、Dが無許可業者であることに変わりない。
2　したがって、結果的には産業廃棄物が適正に処理されたとしても、Aは委託基準違反となる。

　　★関係通知：昭和54．7．31　環産17　産業廃棄物対策室長回答　照会事項1
　　　　(2)

**質問240**　排出事業者Aが、その産業廃棄物の収集運搬業又は処分業の許可を有していると自称する業者Bの言については、その信ぴょう性に疑いが

存するにもかかわらず、特にその許可証を確認することなく、B（無許可処理業者）とその産業廃棄物の収集運搬及び処分を契約したところ、Bは、これをCの設置する産業廃棄物処理施設に搬入し、Cが中間処理又は最終処分に着手した場合（ただし、Bとの間の処分契約はないものとする。）、法第12条第5項の委託基準違反となるか。

❀❀ 回答 ❀❀

Aは委託基準違反となる。

❀❀ 解説 ❀❀

1　法第14条第1項及び第6項、法第14条の4第1項及び第6項により、産業廃棄物の処理を業として行おうとする者は当該業を行おうとする区域を管轄する都道府県知事等の許可を受けなければならない。
2　規則第10条の2、第10条の6、第10条の14及び第10条の18により、都道府県知事等は、処理業者の許可を与えたときには、一定事項を記載した許可証を交付することが定められている。
3　Aは、Bと委託契約を結ぶに当たり、許可証等を確認すれば、容易にBが無許可業者であることが判明したにもかかわらず、これを怠ったものであり、B本人の言を信用しただけでは、適正に委託したとはいえない。

★関係通知：昭和54.7.31　環産17　産業廃棄物対策室長回答　照会事項1
(3)

**質問241**　中間処理業者による処分後の産業廃棄物の扱いについて、
(1)　中間処分後の産業廃棄物の排出事業者責任は誰か。
(2)　処分後の産業廃棄物を中間処理業者が自ら処分する場合の業の許可の必要性は。
(3)　処分後の産業廃棄物を他人に委託する場合の委託基準の適用

❀❀ 回答 ❀❀

(1)　最初に産業廃棄物を排出した者である。
(2)　最初に排出した事業者の産業廃棄物であるので、中間処理業者が自ら処分

するためには、法第14条第1項、第6項の許可が必要である。
(3) 事業者と同様、委託基準が適用され、産業廃棄物管理票の交付義務を負う。

### 解説

1 (1)については、平成12年法改正において、排出事業者責任を徹底するため、中間処理産業廃棄物の排出事業者を、あくまで最初に産業廃棄物を排出した者に限定する旨を規定した。

2 (2)(3)については、法の適用対象として、「事業者」（排出事業者）及びこれと異なる「中間処理業者」の定義を置き、事業者のみに係る規定と、中間処理業者及び事業者双方に係る規定（当該規定の適用対象が事業者に加えて、「中間処理業者を含む。」とされている規定）を区別された。

3 これは、法第11条第1項の適用対象を事業者のみとし、排出事業者責任の所在を最初に産業廃棄物を排出した者に一元化した一方、法第12条第5項、第6項及び第12条の3第1項の適用対象には、事業者に加えて中間処理業者を含むものとし、中間処理業者が中間処理産業廃棄物の委託を行う場合には、事業者と同様に委託基準が適用され、産業廃棄物管理票の交付義務を負う。

4 一方、例えば中間処理業者が焼却後の燃え殻を運搬したり、又は最終処分したりするなど、中間処理業者処分後に生じた中間処理産業廃棄物に対して更に別の処理を行う場合は、法第14条第1項ただし書及び第6項ただし書等が、事業者のみに係る規定であり中間処理業者は適用対象とならないことから、当該中間処理業者は業の許可が不要になる者には含まれないと解される。これは、産業廃棄物の処理責任はあくまで最初に排出した者にあり、中間処理により処理責任に変更が生ずることはないとする考え方にもそうものである。

★関係通知：平成17．9．30　環廃対発050930004・環廃産発050930005　環境省廃棄物・リサイクル部長通知

**質問242**　産業廃棄物処分業者Ａは、産業廃棄物である食品汚泥等を乾燥処理し、当該中間処理後のものを肥料の原料と称して、産業廃棄物収集運搬業者Ｃに運搬及び処分を委託した。ＣはＡから処理料金を受領し、肥料の

原料として、D（処分業許可なし）の管理する畑地に運搬し処理料金の一部をDに支払って処分を委託したほか、別の業者にも同様に委託処分した。

一方、産業廃棄物処分業者Bは産業廃棄物である汚泥から汚泥肥料を製造し、自ら運搬して、Dに処分料金を払って処分を委託した。

Dは当該肥料原料及び汚泥肥料を施肥の目的で自ら管理する畑に鋤き込んだが、いずれも悪臭を放ち、周辺住民から苦情が寄せられている。また、肥料取締法の公定規格で定める基準を大幅に超える有害成分が検出された。

(1) Aの肥料の原料は、汚泥等の中間処理によって生じた産業廃棄物と解してよいか。また、法第12条第5項の処分に係る委託基準に違反していると解してよいか。

(2) Bの汚泥肥料は、汚泥等の中間処理によって生じた産業廃棄物と解してよいか。また、法第12条第5項の処分に係る委託基準に違反していると解してよいか。

(3) Cは法第14条第15項に規定する受託禁止違反に該当すると解してよいか。

(4) Dの行った鋤き込み行為は法第12条第1項に規定する産業廃棄物処理基準に適合しない処分であり、さらにはみだりに廃棄物を捨てる行為に該当し、法第16条違反と解してよいか。また、産業廃棄物無許可処分業に該当するものと解してよいか。

### 回答

いずれも貴見のとおり解して差し支えない。

### 解説

1　(1)について、AがCに処理料金を支払った事実を考慮すると、社会通念上合理的に認定し得るAの意思は、他人に有償で売却することができない性状の不要物を占有している意思であると考えられるため、当該肥料の原料は産業廃棄物に該当する。

また、Cは当該肥料の原料の処分に当たり、複数の処分先を選定できる立場にあり、D及びその他の業者に支払われる処分料金を含めた処理料金を一

括してAから受領していることから、AはCに当該肥料の原料の処分について委託したものと考えられる。したがって、法第12条第5項の処分に係る委託基準の違反に該当する。

2 (2)について、Bの汚泥肥料は、Dの管理する畑地まで自ら運搬し、Dに処分料金を払って、その処分を委託したものであることからすると、社会通念上合理的に認定し得るBの意思は、他人に有償で売却することができない性状の不要物を占有している意思であると考えられるため、当該汚泥肥料は産業廃棄物に該当する。

また、Bは産業廃棄物処分業の許可のないDに汚泥肥料の処分を委託したことから、法第12条第5項の処分に係る委託基準の違反に該当する。

3 (3)について、CはAからD及びその他の業者に支払われる処分料金も含めた処理料金を一括して受領し、自らの裁量でDを含む複数の業者を選定した上で処分を再委託していたものと考えられるため、法第14条第15項に規定する受託禁止違反に該当する。

4 (4)について、Dは肥料の原料及び汚泥原料を自ら管理する畑地に鋤き込んでいるが、施肥目的としていたとしても、A及びBから処分料金を受領しているので、「鋤き込み行為」は産業廃棄物の埋立処分であり、法第12条第1項に規定する産業廃棄物処理基準に適合しない処分に該当する。さらに、鋤き込む前の当該物の性状は、周囲に悪臭を放ち、周辺住民から悪臭苦情が寄せられており、かつ肥料取締法の公定規格で定める基準を大幅に超える有害成分を含むことから、これを畑地に鋤き込む行為は社会通念上許容される限度を超えており、法第12条第1項に規定する産業廃棄物処理基準に著しく反し、生活環境の保全上支障が生じており、法第16条に違反する。また、無許可で産業廃棄物処分業を行った者に該当する。

★関係通知：平成15.11.28　環廃産発031128009　産業廃棄物課長回答

質問243　排出事業者Aが産業廃棄物の収集運搬業者Bに対し一定の区間を限って委託し、更に他の区間を産業廃棄物の収集運搬業者Cに対し委託することは、法第12条第5項に違反しないか。

なお、運搬の委託契約はＡＢ、ＡＣ間で結ぶ。

※※ 回答 ※※

適法である。

※※ 解説 ※※

1　産業廃棄物の処理の再委託については、法第14条第16項により原則として禁止されているが、事業者から委託を受けた産業廃棄物の運搬を令第6条の12で定める基準に従って再委託することは認められている。

　ここにいう収集運搬の再委託の認められる場合は、産業廃棄物処理業者が、直接に運搬の委託を受けた産業廃棄物を、令第6条の12で定める基準に従って他に再委託する場合をいうものであり、再委託された者が更に他に再々委託することはできないものである。

2　この令第6条の12は、委託の基準として「他人の産業廃棄物の収集又は運搬を業として行うことのできる者」であって、委託しようとする産業廃棄物の運搬がその事業の範囲に含まれるものに委託することを禁止しているものではない。

3　なお、運搬の委託契約が、ＡＢ、ＢＣ間で結ばれている場合は、再委託であるが、Ａから文書による了解を得る必要がある。ただし、区間で定めて運搬する場合は通常はどちらかが積替え保管業の許可を得ていると考えられるが、どちらかに積替え保管業の許可がない場合には無許可の者に委託していることとなる。

---

**質問244**　排出事業者が直接処理業者と契約を締結せず、排出事業者団体等に契約締結権限を委任することにより、委任を受けた排出事業者団体等と産業廃棄物処理業者が処理委託契約を締結する（ただし、契約の当事者は、排出事業者と産業廃棄物処理業者）ことは、法第12条第5項（委託基準）に違反しないか。

---

※※ 回答 ※※

契約締結権限のみの委任は委託基準違反とならない。

◎◎ 解説 ◎◎

　契約締結に関する権限のみを委任状を交付し委任するのであれば差し支えない。この場合、当該排出事業者団体等は法第19条の5（措置命令）に規定する処分を委託した者に該当しないなど、排出事業者責任まで委任できるものではないことに留意すること。

> **質問245**　排出事業者と処理業者が委託契約を締結するに当たり、複数の排出事業者名を列記、押印するとともに、各排出事業者ごとの委託料を記入する契約書でも、令第6条の2第2号（第6条の5第1項第2号においてその例によることとされている場合を含む。）に規定する事業の範囲に含まれるものに委託するための契約書として差し支えないか。

◎◎ 回答 ◎◎

契約書として差し支えない。

> **質問246**　法第11条第2項又は第3項の規定により、その事務として産業廃棄物の処理を行う市町村又は都道府県に、産業廃棄物の処理を依頼することは、法第12条第5項の委託に該当するか。

◎◎ 回答 ◎◎

該当する。

◎◎ 解説 ◎◎

1　法第11条第2項又は第3項の規定により、市町村又は都道府県は、産業廃棄物の処理を行うことができることとなっている。
2　事業者がその処理を他人に委託する場合は、法第12条第5項に基づいて、委託することとなる。

> **質問247**　排出事業者Aが産業廃棄物処理業者Bに対し、産業廃棄物をBの指定する場所まで運送する費用として、トン当たり1,750円支払う一方、300円の売却代金を得て当該廃棄物を排出場所でBに引き渡している。この場合、AはBに産業廃棄物の処理を委託していると解してよいか。

また、この場合において、Aが排出場所からBの指定する場所まで運搬することを運送業者Cに委託して、運送費をCに支払う場合は、AはCに産業廃棄物の運搬を委託していると解してよいか。

❀❀ 回答 ❀❀

産業廃棄物の運搬を委託している。

❀❀ 解説 ❀❀

排出事業者Aは運搬費から売却代金を差し引いた場合、代金を支払っていることとなり、産業廃棄物の処理を委託していることとなる。

★関係通知：平成3.10.18　衛産50　産業廃棄物対策室長通知

**質問248**　ビール会社A社においてはビールを生産する過程で不要物として余剰のビール酵母が発生するが、このビール酵母を原料として、薬品会社B社では医薬品を、食料品会社C社では食料品（おつまみ類）を生産している。また、A社は現在当該ビール酵母のA社からB社又はC社までの運搬を自ら行っている。A社は、今後B社又はC社への運搬をD社に委託することを検討しているが、D社に運搬費用として支払う料金をB社又はC社から受け取るビール酵母の売却代金と比較すると運搬費用の方が高い（10倍程度）。

　　この場合、
(1)　D社は産業廃棄物収集運搬業の許可を取得する必要があると解してよろしいか。
(2)　B社及びC社は廃棄物処理施設及び廃棄物処理業に係る許可を取得する必要はないと解してよろしいか。

❀❀ 回答 ❀❀

(1)及び(2)について、貴見のとおり。

❀❀ 解説 ❀❀

1　産業廃棄物の占有者（排出事業者等）がその産業廃棄物を、再生利用するために有償で譲り受ける者へ引き渡す場合の収集運搬においては、引渡し側

が輸送費を負担し、当該輸送費が売却代金を上回る場合等当該産業廃棄物の引渡しに係る事業全体において引渡し側に経済的損失が生じている場合には、産業廃棄物の収集運搬に当たり、法が適用される。一方、再生利用するために有償で譲り受ける者が占有者となった時点以降については、廃棄物に該当しない。

2 　なお、有償譲渡を偽装した脱法的な行為を防止するため、この場合の廃棄物に該当するか否かの判断に当たっては特に次の点に留意し、その物の性状、排出の状況、通常の取扱い形態、取引価値の有無及び占有者の意思等総合的に勘案して判断する必要がある。

(1) 　そのものの性状が、再生利用に適さない有害性を呈しているもの又は汚物に当たらないものであること。なお、貴金属を含む汚泥等であって取引価値を有することが明らかであるものは、これらに当たらないと解する。

(2) 　再生利用をするために有償で譲り受ける者による当該再生利用が製造事業者として確立・継続しており、売却実績がある製品の原材料の一部として利用するものである。

★関係通知：平成17.3.25　環廃産発050325002　産業廃棄物課長通知　第4

**質問249**　A製鉄所においては、冷鉄源溶解法（小規模な高炉のようなもので、電炉とは異なり良質の製造が可能）により、スクラップを鉄に再生しており、この工程に、炭素源及び鉄源として、廃タイヤを1/32カット又は1/16カットしたものを投入することにより、再生利用したいと考えている。A製鉄所は、1,000円/tで廃タイヤを購入する計画で（トラックで搬入されるものについては炉前渡し、船で搬入されるものについては岸壁渡し）ある。しかしながら、遠方から搬入されるものについては、タイヤカット業者が収集運搬業者に支払う収集運搬費用が、タイヤカット業者がA製鉄所から受け取るタイヤカット代金を上回る。この場合、A製鉄所は廃棄物処理施設及び廃棄物処理業に係る許可を取得する必要はないと解してよろしいか。

※※ 回答 ※※

貴見のとおり。

※※ 解説 ※※

前問に同じ。

★関係通知：平成17．3．25　環廃産発050325002　産業廃棄物課長通知　第4

質問250　建設汚泥の中間処理業者Ａ社は、建設汚泥をコンクリート固化した再生土を改良土と称し、再生土販売代理店Ｂ社に対し契約上は10トントラック１台当たり傭車代名目で7,000円、運搬代名目で3,100円を支払っている。Ａ社の再生土の99％は、Ｂ社を経由して建設業者Ｃ社により土地のかさ上げとして埋め戻しされており、Ｂ社以外の業者に直接販売される再生土は１％に過ぎない。なお、建設汚泥を近隣の管理型最終処分場で処分する場合の処分費用はおおむね１トンあたり6,000円～18,000円であり、中間処理を必要としない建設発生土（残土）の処分費用は１トンあたり500円～1,000円である。この場合、建設業者Ｃ社による埋め戻しは廃棄物の最終処分と解してよろしいか。

※※ 回答 ※※

貴見のとおり。

※※ 解説 ※※

前々問に同じ。

★関係通知：平成17．3．25　環廃産発050325002　産業廃棄物課長通知　第4

質問251　ガソリンスタンドや自動車整備工場、各種工場から排出される廃油（廃潤滑油等）の大部分は、廃油再生業者によって回収され、燃料として再生利用されている。排出事業者との間の取引は、回収量や運搬距離によっては廃油再生業者が排出事業者に対して適正な対価を支払う有償取引が一部行われることもあるが、再生利用が困難な有害物を含有する可能性

があることなどから、廃油取引市場一般としては有償取引が行われているとは言い難い状況にある。こうした状況においては、廃油（廃潤滑油等）の回収行為について産業廃棄物収集運搬業の許可を取得する必要はあるか。

❖❖ 回答 ❖❖

1回の取引のみで有償性を判断するのではなく、当該事業者の事業全体で有償取引が行われていると認められない限りは、産業廃棄物収集運搬業の許可を取得する必要がある。

　★関係通知：平成17.7.4　規制改革通知に関するＱ＆Ａ集　Q10　平成25.6.28改正

**質問252**
(1) 排出事業者が産業廃棄物処分業者Ａと直接接触してＡの能力を確認することなく、産業廃棄物収集運搬業者Ｂの説明を聞いたのみで、ＡとＢを契約相手とする、いわゆる三者契約を締結することは委託基準違反と考えるがどうか。
(2) 産業廃棄物の運搬及び処分を同一の者に委託しようとする場合は、運搬、処分それぞれについて別々の契約書が必要となるか。

❖❖ 回答 ❖❖

(1) 委託基準違反となる。
(2) 一つの契約書でもよい。

❖❖ 解説 ❖❖

1　(1)について、法第12条第5項の規定により、運搬については産業廃棄物収集運搬業者、処分については産業廃棄物処分業者それぞれに委託しなければならないこととなっている。

　以前は三者契約が一般的に行われていたが、適正処理確保のため、相手の能力を確認し、個別に契約することが必要となった。

　このため、現在は排出者と収集運搬業者、排出者と処分業者のそれぞれと契約することとされており、三者契約は違法とされている。

2 運搬・処分が同一の場合、適正処理が確保されるので、当然のこととして一つの契約でもかまわない。

> **質問253** 排出事業者が自社から積替え保管場所までの運搬をＡ社に、当該場所から処分までの運搬をＢ社に、それぞれ委託する場合に、Ａ社との契約においては令第６条の２第４号ロに規定する委託契約上の運搬の最終目的地として、積替え保管場所を記載してよいか。

*** 回答 ***

最終目的地として、積替え保管場所を記載してよい。

なお、Ｂとも排出事業者は契約する必要がある。

> **質問254** 感染性産業廃棄物の処理を委託する場合の委託数量は、廃プラスチック類等の産業廃棄物の種類ごとに委託契約書に明示する必要があるか。

*** 回答 ***

感染性産業廃棄物全体について記入すればよい。

*** 解説 ***

廃棄物が一体不可分に混合している場合には、その廃棄物の種類を明記した上で、それらの混合物として一括して数量で記載しても差し支えないこととなっている。このため、感染性産業廃棄物についても、全体として扱ってよい。

> **質問255** 令第６条の６に規定する文書の記載事項として、「委託しようとする特別管理産業廃棄物の性状」が定められているが、これには分析値も含まれるか。

*** 回答 ***

分析値の記載は義務付けられていない。

*** 解説 ***

運搬・処分・再生に際しての取扱いの注意のため、その性状を記載することとなっているが、分析値までは義務付けられていない。

> **質問256** 排出事業者Aが産業廃棄物処分業者Bに処分を委託し、Bが無許可業者Cに処分を再委託した場合、Aに対し委託基準違反を問うことができるか。

❀❀ 回答 ❀❀

Aの委託基準違反を問うことはできない。

❀❀ 解説 ❀❀

ただし、AがBの再委託基準違反に積極的に関与している場合は、共犯としてBの再委託基準違反を問うことができる場合がある。

> **質問257** マニフェストを使用している場合にあっても、令第6条の2又は第6条の6の契約書が必要と解してよいか。

❀❀ 回答 ❀❀

必要である。

❀❀ 解説 ❀❀

1 事業者は、産業廃棄物を処理する際には、書面により委託契約を行うことなど委託基準を遵守しなければならないが、これは処理責任を有する事業者と受託者が委託内容について互いに十分確認することを趣旨とするものであって、委託契約を行う際に遵守すべきものである。
2 マニフェストに係る義務は、実際に処理を委託した産業廃棄物を引き渡す際に遵守すべきものであって、委託基準とは別途必要な義務である。

★関係通知：平成23．3．17　環廃産110317001　産業廃棄物課長通知　第11

> **質問258** マニフェストを使用する場合は、令第6条の2第4号イの「種類及び数量」について、契約書に記載する必要はないのではないか。

❀❀ 回答 ❀❀

記載する必要がある。

◎◎ 解説 ◎◎

契約書とマニフェストは別のもの（前問参照）であり、委託契約には委託する産業廃棄物の種類及び予定数量が含まれていることが必要とされている。

> 質問259　運搬受託者が同一の運搬先に同時に複数の運搬車を用いて運搬する場合、それぞれの運搬車にマニフェストが必要か。

◎◎ 回答 ◎◎

同時に引き渡され、運搬先が同一であれば、1回の引き渡しとみることができる。

◎◎ 解説 ◎◎

1　事業者は、産業廃棄物の引き渡しと同時に運搬受託者（処分のみを委託する場合にあっては処分受託者）に管理票を交付しなければならない。
2　このため、通常は、運搬受託者が複数の運搬車を用いて運搬する場合には、運搬車ごとに交付することが必要となる。
3　複数の運搬車に対して、同時に引き渡され、かつ、運搬先が同一である場合には、これらを1回の引き渡しとして管理票を交付して差し支えない。
　★関係通知：平成23.3.17　環廃産110317001　産業廃棄物課長通知　第12(1)①

> 質問260　産業廃棄物が適正に処理・回収されている場合において、農業協同組合など産業廃棄物を運搬受託者に引き渡すまでの集荷場所を提供している場合、マニフェストを集荷場所の提供者が行ってもよいか。

◎◎ 回答 ◎◎

差し支えない。

◎◎ 解説 ◎◎

1　農業協同組合、農業用廃プラスチック類の適正な処理の確保を目的とした協議会又は当該協議会を構成する市町村が農業者の排出する廃プラスチック類の集荷場所を提供する場合のように、ビルの管理者等が産業廃棄物を運搬受託者に引き渡すまでの集荷場所を提供しているような実態がある場合で

あって、当該産業廃棄物が適正に回収・処理されるシステムが確立している場合には、事業者の依頼を受けて、当該集荷場所の提供者が自らの名義において管理票の交付等の事務を行っても差し支えないこと。
2　なお、この場合においても、処理責任は個々の事業者にあり、産業廃棄物の処理に係る委託契約は、事業者の名義において別途行わなければならないこと。

★関係通知：平成23.3.17　環廃産110317001　産業廃棄物課長通知　第１　２(1)②

**質問261**　マニフェストを「産業廃棄物の種類ごとに交付する」とされているが、シュレッダーダストのように複数の産業廃棄物が発生段階から一体不可分の状態で混合している場合、
(1)　管理票の交付は複数必要か。
(2)　その名称は。

◎◎ 回答 ◎◎
(1)　一体不可分の状態の場合、１つの種類として管理票を交付して差し支えない。
(2)　シュレッダーダストなど混合物の一般的名称を記載して差し支えない。

◎◎ 解説 ◎◎
　なお、産業廃棄物が１台の運搬車に引き渡された場合であっても、運搬先が複数である場合には運搬先ごとに管理票を交付しなければならない。

★関係通知：平成23.3.17　環廃産110317001　産業廃棄物課長通知　第１　２(1)③④

**質問262**　特別管理産業廃棄物多量排出事業者の電子マニフェスト使用義務
　　法第12条の５第１項で特定の産業廃棄物（特別管理産業廃棄物）を多量に排出する事業者に紙マニフェストに代えて、電子マニフェストの使用を義務付けることとなった（令和２年４月１日施行）が、除外規定として、「情報センターに登録することが困難な場合」と示されている。どういう場合か。

### 回答

電子マニフェストの登録が困難な場合とは、次のような場合で電子マニフェストの登録に代えて紙マニフェストの交付が認められる（規則第8条の31の4）。

- 義務対象者等のサーバーダウンやインターネット回線の接続不具合等の電気通信回線の故障の場合、異常な自然現象によって義務対象者等がインターネット回線を使えない場合など、義務対象者等が電子マニフェストを使用することが困難と認められる場合
- 離島内等で他にマニフェストを使用する収集運搬業者や処分業者が存在しない場合、スポット的に排出される廃棄物でそれを処理できる電子マニフェスト使用業者が近距離に存在しない場合など、電子マニフェスト使用業者に委託することが困難と認められる場合
- 常勤職員が、平成31年3月31日において全員65歳以上で、義務対象者の回線が情報処理センターと接続されていない場合

★関係通知：平成30．3．30　環循適発18033010・環循規発18033010　環境再生・資源循環廃棄物適正推進課長・廃棄物規制課長通知

---

**（参考）**

電子マニフェスト使用義務者

- 前年度の特別管理産業廃棄物の発生量が50トン以上の事業場を設置する事業者は、当該事業場に係る特別管理産業廃棄物の減量その他処理に係る計画を作成し、6月30日までに都道府県・政令市に提出しなければならない。
- 都道府県・政令市は、特別管理産業廃棄物多量事業者の計画に基づき、次年度の電子マニフェスト使用義務者の判断を行う。
- ＰＣＢ廃棄物は電子マニフェストの義務対象には含めないこととし、ＰＢ廃棄物を除くと50トン未満となる場合は、その事業場は、電子マニフェストの使用義務者から外れる（その旨を特別管理産業廃棄物排出事業者の計画に記載することとする。）。

**質問263** 法第12条第5項の委託基準は、専ら再生利用の目的となる産業廃棄物の処理を委託する場合においても適用されると解してよいか。

### 回答
適用される。

### 解説
専ら再生利用の目的となる産業廃棄物について、特例が設けられているのは処理業の許可のみであり、他の処理基準は適用される。

**質問264** 産業廃棄物の収集、運搬又は処分の再委託を受けた産業廃棄物処理業者がその収集、運搬又は処分を再度他の処理業者に委託することは認められないと解するがどうか。

### 回答
認められない。

### 解説
1 産業廃棄物処理業者が委託を受けた産業廃棄物の処理を他人に委託することは、原則として禁止されている。
2 ただし、事業者から委託を受けた産業廃棄物の処理を令第6条の8で定める基準に従って再委託する場合及び改善命令又は措置命令の規定に基づき、命令を受けた者が当該命令を履行するために必要な範囲で、他人に処理を委託する場合をいうものであり、再委託されたものが更に他に再々委託することはできないものである。

## Ⅲ-13　その他

> **質問265**　産業廃棄物の収集又は運搬の用に供する運搬車である旨の表示について、次の内容は如何。
> 1　鉄道車両は含むのか。
> 2　「車体に見やすいように表示すること」とはどういう方法があるのか。
> 3　規則第7条の2の2に定める「両側面」に表示とは、どういうことか。

**回答**

1　表示義務が課される「運搬車」とは、主に道路において運行の用に供される自動車を指すものであり、鉄道車両や道路以外の場所のみにおいて用いられるもの（専ら構内の運搬の用に供されるもの等）は含まれない。

2　「車体に見やすいように表示すること」とは、車体に直接塗料等を用いて表示することやマグネットシート等による着脱式の標章（走行中に車体から容易に落ちないものに限る。）を用いて表示すること等が考えられ、産業廃棄物を収集運搬する際のみ車体に標章を貼り付けておくという取扱いも差し支えない。ただし、これらの表示がなされていても、シート等に隠れて実際に表示が見えないような場合には表示義務違反に該当するものである。

3　規則第7条の2の2に定める「両側面」については、運搬車の進行方向に対する車体の左右の面を指すものであって、左右の面に鮮明に表示することができれば特に表示の場所を問わず、左右で表示の位置が非対称であっても、また、運搬車本体でなく荷台や牽引される車両の両側面に表示することも差し支えない。

★関係通知：平成17．2．18　環廃対発050218003・環廃産発050218001　廃棄物・リサイクル対策部長通知　第4　1(1)

# 第7章　その他

## I　措置命令、改善命令

---法令上の規定---

法第19条の3（改善命令）

　次の各号に掲げる場合において、当該各号に定める者は、当該一般廃棄物又は産業廃棄物の適正な処理の実施を確保するため、当該保管、収集、運搬又は処分を行つた者（事業者、一般廃棄物収集運搬業者、一般廃棄物処分業者、産業廃棄物収集運搬業者、産業廃棄物処分業者、特別管理産業廃棄物収集運搬業者及び特別管理産業廃棄物処分業者（以下この条において「事業者等」という。）並びに国外廃棄物を輸入した者（事業者等を除く。）に限る。）に対し、期限を定めて、当該廃棄物の保管、収集、運搬又は処分の方法の変更その他必要な措置を講ずべきことを命ずることができる。

(1)　一般廃棄物処理基準（特別管理一般廃棄物にあつては、特別管理一般廃棄物処理基準）が適用される者により、当該基準に適合しない一般廃棄物の収集、運搬又は処分が行われた場合　市町村長

(2)　産業廃棄物処理基準又は産業廃棄物保管基準（特別管理産業廃棄物にあつては、特別管理産業廃棄物処理基準又は特別管理産業廃棄物保管基準）が適用される者により、当該基準に適合しない産業廃棄物の保管、収集、運搬又は処分が行われた場合　都道府県知事

第19条の4（措置命令）

　一般廃棄物処理基準（特別管理一般廃棄物にあつては、特別管理一般廃棄物処理基準）に適合しない一般廃棄物の収集、運搬又は処分が行われた場合において、生活環境の保全上支障が生じ、又は生ずるおそれがあると認められるときは、市町村長は、必要な限度において、当該収集、運搬又

は処分を行つた者(第6条の2第1項の規定により当該収集、運搬又は処分を行つた市町村を除くものとし、同条第6項若しくは第7項又は第7条第14項の規定に違反する委託により当該処分が行われたときは、当該委託をした者を含む。次条第1項及び第19条の7において「処分者等」という。)に対し、期限を定めて、その支障の除去又は発生の防止のために必要な措置(以下「支障の除去等の措置」という。)を講ずべきことを命ずることができる。

第19条の5

　産業廃棄物処理基準又は産業廃棄物保管基準(特別管理産業廃棄物にあつては、特別管理産業廃棄物処理基準又は特別管理産業廃棄物保管基準)に適合しない産業廃棄物の保管、収集、運搬又は処分が行われた場合において、生活環境の保全上支障が生じ、又は生ずるおそれがあると認められるときは、都道府県知事(当該保管、収集、運搬又は処分を行つた者が当該産業廃棄物を輸入した者(その者の委託により収集、運搬又は処分を行つた者を含む。)である場合にあつては、環境大臣又は都道府県知事。次条及び第19条の8において同じ。)は、必要な限度において、次に掲げる者(次条及び第19条の8において「処分者等」という。)に対し、期限を定めて、その支障の除去等の措置を講ずべきことを命ずることができる。

(1)　当該保管、収集、運搬又は処分を行つた者(第11条第2項又は第3項の規定によりその事務として当該処分を行つた市町村又は都道府県を除く。)

(2)　第12条第5項若しくは第6項、第12条の2第5項若しくは第6項、第14条第16項又は第14条の4第16項の規定に違反する委託により当該収集、運搬又は処分が行われたときは、当該委託をした者

(3)　当該産業廃棄物に係る産業廃棄物の発生から当該処分に至るまでの一連の処理の行程における管理票に係る義務(電子情報処理組織を使用する場合にあつては、その使用に係る義務を含む。)について、次のいずれかに該当する者があるときは、その者(以下略)

第19条の6

前条第１項に規定する場合において、生活環境の保全上支障が生じ、又は生ずるおそれがあり、かつ、次の各号のいずれにも該当すると認められるときは、都道府県知事は、その事業活動に伴い当該産業廃棄物を生じた事業者（当該産業廃棄物が中間処理産業廃棄物である場合にあつては当該産業廃棄物に係る産業廃棄物の発生から当該処分に至るまでの一連の処理の行程における事業者及び中間処理業者とし、当該収集、運搬又は処分が第15条の４の３第１項の認定を受けた者の委託に係る収集、運搬又は処分である場合にあつては当該産業廃棄物に係る事業者及び当該認定を受けた者とし、処分者等を除く。以下「排出事業者等」という。）に対し、期限を定めて、支障の除去等の措置を講ずべきことを命ずることができる。この場合において、当該支障の除去等の措置は、当該産業廃棄物の性状、数量、収集、運搬又は処分の方法その他の事情からみて相当な範囲内のものでなければならない。
⑴　処分者等の資力その他の事情からみて、処分者等のみによつては、支障の除去等の措置を講ずることが困難であり、又は講じても十分でないとき。
⑵　排出事業者等が当該産業廃棄物の処理に関し適正な対価を負担していないとき、当該収集、運搬又は処分が行われることを知り、又は知ることができたときその他第12条第７項、第12条の２第７項及び第15条の４の３第３項において準用する第９条の９第９項の規定の趣旨に照らし排出事業者等に支障の除去等の措置を採らせることが適当であるとき。

**質問266**　収集運搬業者の有する保管施設（廃油タンク）から廃油が流出し、付近の川に流れ込んだ。この業者は、他に同様のタンクを３基有しており、これらのタンクも破損及び廃油の流出のおそれがある場合、法第19条の５の措置命令の対象となるか。

**回答**
　当該保管施設が処理基準又は保管基準に適合しないと認められるものであれ

ば、法第19条の5に基づき施設の改修を命ずることもできる。

※※ 解説 ※※

1 法第19条の5は、処理基準又は保管基準に適合しない産業廃棄物の保管、収集、運搬又は処分が行われた場合に、生活環境の保全上の重大な支障の除去又は発生の防止のため、都道府県知事は、保管、収集、運搬又は処分を行った者、また、委託基準に違反した委託を行った者に対して処分のやり直し等を命ずることができることを規定したものである。

2 法第19条の5の措置命令をかけるには、次の要件が必要である。

(1) 産業廃棄物処理基準、産業廃棄物保管基準、特別管理産業廃棄物処理基準又は特別管理産業廃棄物保管基準に適合しない産業廃棄物の保管、収集、運搬又は処分が行われたこと。

(2) 生活環境の保全上支障が生じ又は生ずるおそれがあること。

3 措置命令は、必要な限度において、支障の除去又は発生の防止のために必要な措置を講ずべきことを命ずることができるものである。すなわち、生活環境の保全上の支障の程度や状況に応じ、その支障を除去し又は発生を防止するために必要であり、かつ、経済的にも、技術的にも最も合理的な手段を選択して命ずるべきであり、過度の措置を命ずることは許されない。

4 措置命令の対象となる者は、第1に、現に処理基準又は保管基準に適合しない廃棄物の保管、収集、運搬又は処分を行った者である。したがって、無許可業者等もその対象になるものである。

　また、第2に、法第12条第5項又第12条の2第5項の委託基準に違反する委託により処分基準に適合しない廃棄物の処分が行われた場合には、その委託者も措置命令の対象になるものである。

5 なお、地方公共団体が行った廃棄物の処分に起因する生活環境の汚染については、措置命令を待つまでもなく、地域の環境保全についての責務を有する地方公共団体がその事務として行わざるを得ないものであるので、地方公共団体を対象から除外したものである。

6 設問の場合、保管基準違反と認められる行為があれば、措置命令をかけることは可能である。

**質問267** 収集運搬業、処分業（埋立て）の許可を得た者が、自己の所有する最終処分場の埋立を終了したため、自己の所有地に中継と称して汚泥を積み上げている。その悪臭と雨による汚泥の流出により住民被害が生じている場合、法第19条の5の措置命令の対象となるか。

※※ 回答 ※※

中継と称する行為が保管基準違反と認められれば、法第19条の5を適用することも可能である。

※※ 解説 ※※

処分行為と認められる行為であるかどうかは、様々な状況を個別、具体的に考慮し、客観的に判断することが必要である。

**質問268** 道路沿いの遊休低湿地の地主Aは、不法投棄がなされているにもかかわらず地盤がかさ上げされているので不法投棄を黙認しているが、この結果、生活環境の保全上支障が生ずる場合、第19条の5の措置命令の対象となるか。

※※ 回答 ※※

Aが自分の土地に産業廃棄物が搬入されているのを認めている場合、Aは処分を助けた者として、法第19条の5が適用できる場合がある。

※※ 解説 ※※

1　処分行為を行っている者は、第一には不法投棄をしている者である。
2　しかし、地主であっても、不法投棄を仲介又は不法投棄のための土地を提供している場合は措置命令の対象となる。
3　この場合、不法投棄に関しての認識又は廃棄物が搬入された際の対応（最初に廃棄物が搬入されたことを知った際に撤去を求める等の対応をしたか否か。）等などを勘案して判断することとなる。

**質問269** 法第19条の5に規定する産業廃棄物に係る措置命令は、法第19条の3に規定する改善命令とはどのように異なるのか。

### 回答

法第19条の5に規定する措置命令は、既に行われた産業廃棄物の保管、収集、運搬又は処分に起因する環境汚染を防除することを目的として行われるものである。

これに対し、法第19条の3に規定する改善命令は排出事業者に産業廃棄物処理基準、産業廃棄物保管基準、特別管理産業廃棄物処理基準又は特別管理産業廃棄物保管基準に適合した運搬、処分又は保管を行わせるために、将来に向かって事業者の行う産業廃棄物の処理方法の改善等を目的として行われるものである。

### 解説

法第19条の5の措置命令と法第19条の3の改善命令を比較すると次のとおりとなる。

| 根拠法令項目 | 法第19条の3の改善命令 | 法第19条の5の措置命令 |
|---|---|---|
| 対象者 | ・排出事業者<br>・処理業者 | ・処分者<br>・違法な委託をした委託者<br>・管理票義務違反者<br>・処分者等に違反を要求、依頼、示唆、助けた者 |
| 要件 | 処理基準（又は保管基準）に適合していない場合 | 処理基準（又は保管基準）に適合せず、生活環境の保全上支障が生じ、又は生ずるおそれがある場合 |
| 命令の内容 | ・運搬、処分等の方法の変更等将来に向かっての改善命令 | ・既に行われた支障の除去又は発生の防止のために必要な措置命令 |

**質問270** 生活環境の保全上支障の生ずるおそれのない産業廃棄物の不法投棄に対して、法第19条の5の措置命令が適用できるか。

%% 回答 %%

法第19条の５を適用することはできない。

%% 解説 %%

措置命令は生活環境の保全上支障が生じ、又は生じるおそれがあると認められるときに命ずることができる。

> **質問271** 措置命令
>
> 　法第19条の６第１項第２号で、支障の除去等の措置において、排出事業者等が当該産業廃棄物の処理に関し、適正な対価を負担していないとき、排出事業者等に支障の除去等の措置を採らせることができるが、「適正な対価」とはどういう場合か。

%% 回答 %%

適正な対価を負担していない場合とは、一般的に行われている方法で処理するために必要とされる処理料金からみて著しく低廉な料金で委託する場合をいう。

%% 解説 %%

1　適正な対価を負担していない場合には、処理業者が適正な処理をできないため、不法投棄や不適正処理が行われる可能性が高くなるので、処理状況について、十分な注意が必要である。

2　地域における産業廃棄物の一般的な処理料金の半値程度又はそれを下回るような料金で処理委託を行っている排出事業者については、当該料金に合理性があることを示すことができない場合、適正な対価を負担していないことになる。

3　適正な料金については、廃棄物の種類や量、処理方法、地域等によって異なるが、食品リサイクル法の登録再生利用事業者は料金を公示していること、優良産業廃棄物処理業者は料金の提示方法を公表していることが参考になる。

★関係通知：平成25.3.29　環廃産発1303299　廃棄物・リサイクル対策部産業廃棄物課長通知「行政処分の指針について」

## Ⅱ　不法投棄

---法令上の規定---
法第16条（投棄禁止）
　何人も、みだりに廃棄物を捨ててはならない。

**質問272**　無許可の産廃処理業者が地主の了解を得て産業廃棄物を窪地に捨てている場合は、法第16条違反に該当するか。

**回答**
法第16条違反に該当する。

**解説**
1　法第16条中、「みだりに」とは「正当な理由なく」、「故なく」の意味であり、「捨てる」とは「処分する」と同旨である。
2　なお、法第16条の規定に違反した者は、
　　○　5年以下の懲役又は1000万円以下の罰金が科せられ（法第25条）、
　　○　両罰規定では、3億円以下の罰金が科せられる
3　法第16条は、「何人も」として行為の主体を特定していないことから、たとえ地主の了解を得たとしても産業廃棄物を「みだりに」「捨てる」行為に該当する場合は、同条違反となる。
4　なお、たとえ自己所有地や借地であったとしても、産業廃棄物等を捨てた場合には法第16条違反となる。

**質問273**　収集したし尿を夜中に勝手に小学校の浄化槽に投入する場合は、法第16条違反に該当するか。

**回答**
法第16条違反に該当する。

**解説**
1　浄化槽はし尿を処理することができるが、勝手に他人の浄化槽にし尿を投

入することは、法第16条違反となる。
2　なお、浄化槽の機能に支障を及ぼすことにもなる。

> **質問274**　古物商が工場から有償で得た被覆電線を消防署の消防法による許可取得後、銅の部分を取り出すために河川敷で野焼きを行い、その焼却残さを放置している場合は、法第16条違反に該当するか。

### 回答

　焼却残さは、事業活動に伴って排出された産業廃棄物であるので、法第3条第1項により古物商はその適正な処理を図る必要がある。しかし、指導等を受けても、古物商が適正な処理を行わず、放置しているような場合には、その態様によっては法第16条に該当する場合がある。

### 解説

1　排出事業者が産業廃棄物を規則第8条の基準に従って保管している場合には、原則として法第16条違反とはならない。
2　しかし、産業廃棄物を処理せずに放置しているような場合には、その期間、状況等により、法第16条違反となる場合がある。

> **質問275**　魚を原料として飼料を製造している工場が油分を相当程度（45％）含む泥状物をみだりに投棄している場合は、法第16条違反に該当するか。

### 回答

　法第16条の廃油の不法投棄に該当する。なお、泥状物については汚泥と廃油の混合物と解される。

### 解説

1　油分を含む泥状物の取扱いは、油分をおおむね5％以上含む泥状物の場合は、汚泥と廃油の混合物となる。
2　油分がおおむね5％未満の場合は、油分を含む汚泥として取り扱うことになる。

> **質問276**　産業廃棄物の中間処理業者が保管と称して他人の土地に無断で産

業廃棄物を放置しておいた場合は、法第16条違反に該当するか。

❊❊ 回答 ❊❊

処分を前提とした保管行為と認められる限りは、法第16条違反には該当しないが、客観的にみて放置の意思が明らかであり、みだりに放置していると認められれば、法第16条違反に該当する。

❊❊ 解説 ❊❊

1　排出事業者が産業廃棄物を保管する場合には、規則第8条の基準に従わなければならない。
2　同条の基準では、保管施設により保管することなどを規定しており、客観的にみて保管とはいえないような放置の状態にあり、しかも処分を全く予定していない場合には、法第16条違反となる。

質問277　業者Aは、業者Bから買い受けてきたカドミウムを含むニッケル電極板くずを硫酸溶液に浸してカドミウムを溶出除去した後ニッケルくずとして売却していたが、その作業に使用した硫酸カドミウム及び未反応硫酸を含む溶液を地主から借り、自ら管理する同作業場の敷地内に何らの処理もしないで投棄し、付近の農業用水路等を経由して河川をカドミウムで汚染した場合は、法第16条違反に該当するか。

❊❊ 回答 ❊❊

法第16条違反に該当する。

❊❊ 解説 ❊❊

1　排出事業者は、法第12条の2第1項及び令第6条の5の基準に従い、特別管理産業廃棄物を処分しなければならず、これに違反する場合は処分基準違反となる。
2　しかし、排出事業者が、全く処理することなく、令第2条の4に規定する特別管理産業廃棄物を自己管理地に投棄し、その結果、環境に対する重大な影響を与えた場合には、法第16条違反となる。

★関係通知：昭和60.7.12　衛産36　産業廃棄物対策室長回答

## 第7章 その他

**質問278** 産業廃棄物処理業者（廃油の収集運搬、処分業の許可を有する業者）が受託した廃油を自己所有地である中間処理場の敷地内において焼却工場の前処理と称して土砂と混ぜ、これにより生じた廃油と土砂の混合物を同敷地内に削土した穴に埋め、その上に外見上見分けがつかないように約0.5mの厚さで覆土し、一定期間放置した場合、本業者の行為は、不法投棄に該当するか。

**回答**

不法投棄に該当する。

**解説**

1 排出事業者が産業廃棄物を保管する場合には、規則第8条の基準に従わなければならない。
2 同条の基準では、保管施設により保管することなどを規定しており、客観的にみて保管とはいえないような放置の状態にあり、しかも処分を全く予定していないので、法第16条違反となる。

★関係通知：平成4.7.23　衛産47　産業廃棄物対策室長通知

**質問279**
(1) 中間処理施設敷地内の地表2～3mの穴の中に、廃油付着のドラム缶及び前処理した廃油混じりの土砂を入れ（埋め立て）覆土せず、その上に同様に廃油混じりの土砂を野積みの状態にしていた行為は不法投棄に該当するか。
(2) (1)の場合に、廃油混じりの土砂の廃油及びドラム缶付着の廃油の油分が5％未満である場合はどうか。
(3) 最終処分場で流出事故が起きたため、これに対し過剰埋立物の除去及び堰堤の補強を内容とする措置命令を出したが、その履行前に当該業者が同処分場内に廃油付着のドラム缶を埋め立てた場合、不法投棄に該当するか。ドラム缶に廃油が付着していなかった場合はどうか。
(4) (3)のとおり最終処分場で流出事故が起きたため、県は業者の願い出に

より、その付近の場所を場内の汚泥の仮置き場とすることを承認したが、この仮置き場内に当該業者が廃油付着のドラム缶を埋めた場合、不法投棄に該当するか。

### ◈◈ 回答 ◈◈

1　(1)、(2)、(4)の当該行為は、法第16条の不法投棄に該当する。
2　(3)の行為は、ドラム缶に廃油が付着している場合のみ不法投棄に該当する。

### ◈◈ 解説 ◈◈

1　(2)について、油分を含む汚泥において、油分が5％未満になれば汚泥として取り扱うことができるが、廃油に土砂を混合させることにより生じた混合物の油分が5％未満になったからといって、土砂として取り扱えるものではない。
2　(3)について、埋立て又は処分業の許可の範囲に金属くずがなければ、油分が付着するか否かは関係なく処分基準違反、無許可業となる。

　★関係通知：平成4.10.15　衛産69　環境整備課長・産業廃棄物対策室長連名通知

**質問280**　燃え殻の撤去命令を発せられている場所（無許可建設系廃棄物埋立地）に使用済みのパチンコ台が1,500台搬入され、4か月間放置されている。土地所有者Aは、100円/台で購入してきたもので、釘を抜き、手作業で分解して基盤やバネ等を取り出し売却する予定であるので、廃棄物とは認識していないと申し出ている。なお、Aは産業廃棄物処理業の許可は有していない。
(1)　当該使用済みパチンコ台は産業廃棄物に該当するか。
(2)　パチンコ台の放置は不法投棄に該当するか。

### ◈◈ 回答 ◈◈

貴見のとおり解して差し支えない。

### ◈◈ 解説 ◈◈

1　当該場所は以前にAが無許可で建設系産業廃棄物の埋立処分業を営んでい

た場所であり、埋め立てられている燃え殻の撤去を命じる措置命令が出されているが完全履行されていない。この場所に使用済みのパチンコ台が搬入された。行政指導により、一部（約300台）は搬出された。購入先と見られる倉庫を確認したところ、倉庫業者は倒産しており、パチンコ台が数千台倉庫内に保管されていた。

2　廃棄物に該当するか否かは、その物の性状、排出の状況、通常の取扱い形態、取引価値の有無及び占有者の意思等を総合的に勘案して判断すべきものとされている。次の点から法第2条第4項に該当する産業廃棄物に該当する。

① 　その物の性状

　　大部分の使用済みパチンコ台は木枠に取り付けられたままの状態で、パチンコホールから排出された状態と変わりないが、土の上に置かれ、ビニールシートをかけただけの状態で整然と置かれていた。一部のビニールシートは取り去られ、半数以上の液晶部分がはずされており、煩雑に置かれている。

② 　通常の取引形態

　　1割は中古機として再利用されているが、ほとんどは廃棄処分されている。大半が広域再生利用指定制度の指定を受け、再生利用されているが、産業廃棄物処理業者の処分もされている。通常、パチンコ台を廃台として処分する場合は、1,046円/台で処分されている。

③ 　取引価値の有無

　　当事者の真意及び実際の取引状況については不明ながら、Aは100円/台で購入し、運搬費用はAが負担していると説明している。

④ 　占有者Aの意思

　　Aは100円/台で購入してきたもので、手作業で分解した後売却する予定であり、廃棄物でないと認識していたと説明するも、当該物を大量に集積し、これを放置しているものであり、社会通念上合理的に認定し得る占有者Aの意思は、廃棄物を占有していると考えられる。

3　当該物は、構成要素から判断すると、木枠部分（事業系一般廃棄物）があるものの、総体として廃プラスチック類、金属くず、ガラスくず、コンク

リートくず及び陶磁器くずの3種類の産業廃棄物に該当する。
4　(2)について、Aの計画によれば、当該物を分解し、一部有用物を抜き取ることを目的として一時的に置く行為であったとしても、当該地の過去の状況、4か月以上も置かれていた期間、搬出の実績状況（一部搬出したもののその後搬出されていない）から判断する限り、産業廃棄物をみだりに捨てたものである。

★関係通知：平成14.3.8　環廃産142　産業廃棄物課長通知

## Ⅲ　焼却の禁止

——法令上の規定——

法第16条の2（焼却禁止）
　　何人も、次に掲げる方法による場合を除き、廃棄物を焼却してはならない。
(1)　一般廃棄物処理基準、特別管理一般廃棄物処理基準、産業廃棄物処理基準又は特別管理産業廃棄物処理基準に従って行う廃棄物の焼却
(2)　他の法令又はこれに基づく処分により行う廃棄物の焼却
(3)　公益上若しくは社会の慣習上やむを得ない廃棄物の焼却又は周辺地域の生活環境に与える影響が軽微である廃棄物の焼却として政令で定めるもの

**質問281**　法第16条の2に規定される「廃棄物の焼却禁止」の規定の例外として、2号及び3号に示されているが、具体的に例示されたい。

❀❀ 回答 ❀❀

1　他の法令又はこれに基づく処分により行う焼却としては、家畜伝染病予防法（昭和26年法律第166号）に基づく患畜又は擬似患畜の死体の焼却、森林病害虫等防除法（昭和25年法律第53号）による駆除命令に基づく森林病害虫の付着している枝条又は樹皮の焼却などが考えられること。
2　国又は地方公共団体がその施設の管理を行うために必要な廃棄物の焼却と

しては、河川管理者による河川管理を行うための伐採した草木等の焼却、海岸管理者による海岸の管理を行うための漂着物等の焼却などが考えられること。
3 震災、風水害、火災、凍霜害その他の災害の予防、応急対策又は復旧のために必要な廃棄物の焼却としては、凍霜害防止のための稲わらの焼却、災害時における木くず等の焼却、道路管理のために剪定した枝条等の焼却などが考えられること。

なお、凍霜害防止のためであっても、生活環境の保全上著しい支障を生ずる廃タイヤの焼却は、これに含まれるものではないこと。
4 風俗慣習上又は宗教上の行事を行うために必要な廃棄物の焼却としては、どんと焼き等の地域の行事における不要となった門松、しめ縄等の焼却が考えられること、
5 農業、林業又は漁業を営むためにやむを得ないものとして行われる廃棄物の焼却としては、農業者が行う稲わら等の焼却、林業者が行う伐採した枝条等の焼却、漁業者が行う漁網に付着した海産物の焼却などが考えられること。

なお、生活環境の保全上著しい支障を生ずる廃ビニールの焼却はこれに含まれるものではないこと。
6 たき火その他日常生活を営む上で通常行われる廃棄物の焼却であって軽微なものとしては、たき火、キャンプファイヤーなどを行う際の木くず等の焼却が考えられること。

### 解説

1 焼却禁止の規定は、これまで行政処分では適切な取締りが困難であった悪質な産業廃棄物処理業者や無許可業者による廃棄物の焼却に対して、これらを罰則の対象とすることにより取締りの実効を上げるためのものであることから、罰則の対象とすることに馴染まないものについて、例外を設けていること。したがって、焼却禁止の例外とされる廃棄物の焼却についても、処理基準を遵守しない焼却として改善命令、措置命令等の行政処分及び行政指導を行うことは可能であること。
2 第1項の一般廃棄物処理基準、特別管理一般廃棄物処理基準、産業廃棄物

処理基準又は特別管理産業廃棄物処理基準に従って行う廃棄物の焼却とは、これらの廃棄物の処理基準を遵守して焼却されることをいうものであって、焼却を行った者に処理基準が適用されるか否かは何ら関係ないものであること。

★関係通知：平成12.9.28　衛環78　環境整備課長通知　第12

## Ⅳ　廃棄物再生事業者

**質問282**　廃棄物の再生を業として行おうとする者は、法第7条第4項の許可の対象とすることができると解してよいか。

◆◆ 回答 ◆◆

許可の対象とすることができる。

◆◆ 解説 ◆◆

通常廃棄物と目されるものの再生を業として行っている者である。

## Ⅴ　立入検査・報告徴収

**質問283**　産業廃棄物処理施設を市町村が設置した場合には、当該処理施設に処理を委託する事業者に対して、市町村長がその工場又は事業場に立入検査を行うことができるか。また、必要な報告の徴収を求め得るか。

◆◆ 回答 ◆◆

市町村長は、立入検査を行うことはできない。また、法第18条に基づいて報告の徴収をすることはできない。

◆◆ 解説 ◆◆

1　法第19条に基づき、都道府県知事等及び市町村長がその権限において立入検査を行うことができる場所は、次のとおりである。
　(1)　都道府県知事等
　　①　産業廃棄物を排出、処理する事業者の事務所、事業場、車両、船舶その他の場所

② 産業廃棄物処理業者（許可業者以外の処理業者も含む。）の事務所、事業場、車両、船舶その他の場所
③ 一般廃棄物処理施設又は産業廃棄物処理施設のある土地又は建物
④ 指定区域の土地
(2) 市町村長
① 一般廃棄物を排出、処理する事業者の事務所、事業場、車両、船舶その他の場所
② 一般廃棄物処理業者（許可業者以外の処理業者も含む。）の事務所、事業場、車両、船舶その他の場所
2 また、法第18条に基づき、都道府県知事等及び市町村長がその権限において報告の徴収を求めることができる者は次のとおりである。
(1) 都道府県知事等
① 事業者（事業活動に伴って産業廃棄物を排出する者に限る。）
② 産業廃棄物処理業者（許可業者以外の処理業者を含む。）
③ 一般廃棄物処理施設又は産業廃棄物処理施設の設置者又は管理者
④ 指定区域の土地の所有者等
(2) 市町村長
① 事業者（事業活動に伴って一般廃棄物を排出する者に限る。）
② 一般廃棄物処理業者（許可業者以外の処理業者を含む。）
3 なお、市町村長は、市町村が設置した産業廃棄物処理施設に処理を委託する事業者に対し、法第18条に基づいて報告を徴収することはできないが、処理業務の提供に際しての契約に基づいて必要な報告を求めることができる。

**質問284** 法第18条に規定する報告の徴収について、地方公共団体の規則で定期的に報告を義務づけることが可能か。

※※ 回答 ※※

　法の施行の限度内であることが明白である場合には、定期的に報告を徴収することは可能である。

※※ 解説 ※※
1 都道府県知事又は市町村長が、事業者から徴収することができる報告は、事業者が排出し、又は処理する廃棄物の保管、収集、運搬及び処分、一般廃棄物処理施設又は産業廃棄物処理施設の構造及び維持管理に関するものである。
2 これらの報告の徴収は、廃棄物処理法の実施に必要な範囲に限定すべきものであって、法律実施のために必要と認められる程度を超えて要求すべきものではない。

## VI 法適用

**質問285** 日本国内で生じた産業廃棄物を日本国籍の船舶において、日本国の法人が公海上で処理する行為には法の適用があると解するがどうか。

※※ 回答 ※※

法が適用される。

※※ 解説 ※※

船舶における洋上焼却は、海洋汚染等及び海上災害の防止に関する法律が適用されるが、廃棄物処理法においては施設設置許可、処分業の許可、が必要であり、焼却後の廃棄物についても処理法の基準に従って処理が行われる。

★関係通知：昭和55.11.10　環整149・環産45　環境整備課長・産業廃棄物対策室長連名通知

**質問286** 染物工場（1日当たり排出水量が50㎥未満）の排水口から公共用水路域に排出される排水は、水質汚濁防止法上、排水規制がかからないため、廃棄物処理法により規制すべきものではないか。

※※ 回答 ※※

工場又は事業場の排水口から公共用水域に排出される排出水の規制を廃棄物処理法により行うことはできない。

### 解説

工場の排水口から公共用水域に排出される工場排水にあっては水質汚濁防止法にゆだねられており、水質汚濁防止法の範疇の中で規制する必要がない規模にあっても、廃棄物処理法で対応するべきものでない。もし、環境保全上必要であれば、都道府県の上乗せ条例で規制ができる。

なお、排水系統以外から排水口に投入された場合には、不法投棄と見なされる可能性がある。

**質問287** 海洋においてビルジをたれ流している船舶であって、海洋汚染等及び海上災害の防止に関する法律第4条第1項の適用を受けない小規模のものについて、法第16条の不法投棄の適用はできないか。

### 回答

海域における船舶からのビルジの排出の規制を法により行うことはできない。

### 解説

海洋汚染等及び海上災害の防止に関する法律の範疇で対応すべきものである。

**質問288** 海洋で発生した不要物を陸上で処理する場合、法が適用されると解してよいか。

### 回答

法が適用される。

### 解説

海洋で発生した廃棄物について、陸上で処理する場合は廃棄物処理法の基準に従って処理が行われる。

英保　次郎
えいほ　　じろう

**著者略歴**

| | |
|---|---|
| 1948年 | 神戸市に生まれる |
| 1971年 | 大阪大学薬学部卒 |
| | 外資系製薬会社に入社 |
| 1974年 | 兵庫県職員となる　主に廃棄物行政、環境行政を担当 |
| 1990年 | 大阪湾広域臨海環境整備センターに出向　廃棄物の受入、管理を担当 |
| 1993年 | 兵庫県環境整備課 |
| | 阪神・淡路大震災による大量廃棄物の広域処分を手がける |
| 1996年 | 環境庁水質保全局　主に瀬戸内海保全、水質総量規制を担当 |
| 1999年 | 兵庫県環境情報センター室長 |
| 2002年 | ㈶ひょうご環境創造協会　環境創造部長 |
| 2003年 | 兵庫県水質課長 |
| 2005年 | 兵庫県立健康環境科学研究センター　水質環境部長兼大気環境部長 |
| 2008年 | 兵庫県を退職 |
| | ㈶ひょうご環境創造協会　総務部次長 |
| 2010年 | 兵庫県環境研究センター　安全科学科長（2012年　退職） |
| (現在) | |
| 2018年 | NPO法人瀬戸内海研究会議監事 |

# 九訂版　廃棄物処理法 Q & A

| | |
|---|---|
| 平成12年7月30日　初 版 発 行 | 平成23年5月10日　六 訂 版 発 行 |
| 平成15年10月15日　三 訂 版 発 行 | 平成27年4月20日　七 訂 版 発 行 |
| 平成18年7月20日　四 訂 版 発 行 | 令和元年7月1日　八 訂 版 発 行 |
| 平成20年1月25日　五 訂 版 発 行 | 令和4年9月1日　九 訂 版 発 行 |

　　著　　者　　英　保　次　郎
　　発行者　　星　沢　卓　也
　　発行所　　東京法令出版株式会社

| | | |
|---|---|---|
| 112-0002 | 東京都文京区小石川5丁目17番3号 | 03(5803)3304 |
| 534-0024 | 大阪市都島区東野田町1丁目17番12号 | 06(6355)5226 |
| 062-0902 | 札幌市豊平区豊平2条5丁目1番27号 | 011(822)8811 |
| 980-0012 | 仙台市青葉区錦町1丁目1番10号 | 022(216)5871 |
| 460-0003 | 名古屋市中区錦1丁目6番34号 | 052(218)5552 |
| 730-0005 | 広島市中区西白島町11番9号 | 082(212)0888 |
| 810-0011 | 福岡市中央区高砂2丁目13番22号 | 092(533)1588 |
| 380-8688 | 長 野 市 南 千 歳 町 1005 番 地 | |

〔営業〕TEL 026(224)5411　FAX 026(224)5419
〔編集〕TEL 026(224)5412　FAX 026(224)5439
https://www.tokyo-horei.co.jp/

Ⓒ Jirō Eiho Printed in Japan, 2000

本書の全部又は一部の複写、複製及び磁気又は光記録媒体への入力等は、著作権法上での例外を除き禁じられています。これらの許諾については、当社までご照会ください。

落丁本・乱丁本はお取替えいたします。

ISBN978-4-8090-4076-4